NAJPIĘKNIEJSZE

BAŚNIE

HANSA CHRISTIANA

ANDERSENA

NAJPIĘKNIEJSZE

BAŚNIE

HANSA CHRISTIANA

ANDERSENA

Ilustracje
Anastazja Archipowa

Wybór
Arnica Esterl

Przekład
Stefania Beylin
Jarosław Iwaszkiewicz

Tytuł oryginału
DIE SCHÖNSTEN MÄRCHEN VON HANS CHRISTIAN ANDERSEN

Projekt okładki
Piotr Jezierski

Redaktor prowadzący
Katarzyna Krawczyk

Redakcja techniczna
Mirosława Kostrzyńska

Korekta
Krystyna Wysocka
Elżbieta Jaroszuk

Świat Książki
Warszawa 2005
Bertelsmann Media Sp. z o.o.
ul. Rosoła 10, 02-786 Warszawa

Skład i łamanie
GABO s.c., Milanówek

Druk i oprawa
DNT - oddział PAP SA, Warszawa

ISBN 978-83-7391-967-9
ISBN 83-7391-967-8
Nr 5238

Spis treści

Świniopas

Był sobie pewnego razu bardzo ubogi książę. Miał księstwo małe, ale dość duże na to, by mógł się ożenić. A chciał się właśnie żenić!

Było to co prawda zuchwalstwo, że odważył się spytać córkę cesarza: „Czy chcesz mnie mieć za męża?", ale jednak ośmielił się to uczynić, bo jego imię było sławne na cały świat. Tysiąc księżniczek zgodziłoby się chętnie, ale dowiecie się zaraz, co uczyniła córka cesarza.

Zatem słuchajcie.

Na grobie ojca księcia rósł krzak róży, cudny krzak róży. Zakwitał tylko raz na pięć lat, i to jedną jedyną różą. Ale ta róża pachniała tak słodko, że wąchając ją, zapominało się o wszystkich zmartwieniach i troskach. Miał też książę słowika, który tak pięknie śpiewał, jak gdyby w jego gardziołku mieściły się wszystkie niebiańskie melodie. Tę różę i tego słowika miała dostać księżniczka; w tym celu różę i słowika włożono do srebrnych szkatułek i tak posłano księżniczce.

Cesarz kazał przynieść dary do wielkiej sali, gdzie księżniczka bawiła się z damami dworu w „gości"; przez cały boży dzień nie robiły nic innego. Gdy zobaczyła duże szkatułki z darami, klasnęła z radości w ręce i zawołała:

– Ach! Gdyby to był maleńki kotek! – Ale w szkatułce była cudna róża.

– Jakże ładnie zrobiona! – powiedziały wszystkie damy dworu.

– Jest więcej niż ładna – powiedział cesarz. – Jest piękna.

Lecz księżniczka powąchała różę i omal się nie rozpłakała.

– Fe, ojczulku – powiedziała – to nie jest sztuczna róża, tylko prawdziwa.

– Fe – powiedziały wszystkie damy dworu. – Prawdziwa!

– Zanim się zaczniemy gniewać, zobaczmy, co jest w drugim pudle – powiedział cesarz.

Wyjęto słowika, który zaczął tak cudnie śpiewać, że nie można mu było nic zarzucić!

– *Superbe! Charmant!** – zawołały damy dworu, gdyż paplały wszystkie po francusku, jedna gorzej od drugiej.

– Jakżeż ten ptak przypomina mi pozytywkę świętej pamięci cesarzowej – powiedział stary marszałek dworu. – Zupełnie ten sam ton, ten sam wyraz!

* Wspaniały! Zachwycający! (fr.).

– Tak – powiedział cesarz i rozpłakał się jak dziecko.

– To żywy ptak – powiedzieli ci, którzy przynieśli dary.

– W takim razie wypuśćcie go! – zawołała księżniczka i za żadne skarby nie chciała widzieć księcia.

Ale on nie tracił nadziei. Posmarował sobie twarz na brązowo i czarno, wcisnął głęboko czapkę na oczy i zapukał do drzwi.

– Dzień dobry, cesarzu – powiedział. – Czy mógłbym dostać jakąś służbę na dworze?

– Wielu ludzi szuka tu pracy – odpowiedział cesarz – ale zobaczymy. Potrzebuję kogoś, kto by mi pilnował świń, których mam bardzo dużo.

W ten sposób książę został cesarskim świniopasem. Dostał na mieszkanie ciasną, brzydką komórkę obok świńskich chlewów i miał w niej pozostać.

Cały dzień pracował, a kiedy nadszedł wieczór, zrobił prześliczny, mały garnuszek z dzwoneczkami wokoło. Kiedy w garnku się gotowało, dzwoneczki dzwoniły ślicznie i grały starą melodię:

Ach, kochany Augustynie,
Wszystko minie, minie, minie!

Ale największa sztuka polegała na tym, że kiedy się trzymało palce nad parą wydobywającą się z garnka, można było natychmiast poczuć zapach wszystkich potraw, jakie gotowały się we wszystkich kuchniach miasta. No, to było przecież coś zupełnie innego niż jakaś tam róża.

Księżniczka poszła ze wszystkimi damami dworu na spacer i usłyszawszy znaną melodię, uradowała się niezwykle, bo właśnie to potrafiła grać. *Ach, kochany Augustynie* była jedyną melodią, jaką umiała zagrać, i to tylko jednym palcem.

– To właśnie tylko umiem! – powiedziała. – Musi to być wykształcony świniopas! Słuchaj, idź do niego i spytaj, ile kosztuje ten instrument!

Jedna z dam dworu musiała pójść, ale przedtem włożyła drewniaki na nogi.

– Ile chcesz za ten garnek? – spytała dama.

- Chcę dziesięć pocałunków księżniczki - powiedział świniopas.
- Na litość boską! - zawołała dama dworu!
- Ani jednego mniej! - odpowiedział świniopas.
- Co on mówi? - spytała księżniczka?
- Nie mogę tego powtórzyć! - odezwała się dama dworu. - To potworne!
- Możesz mi szepnąć do ucha!

Więc szepnęła.

– Jaki niegrzeczny! – powiedziała księżniczka i oddaliła się, ale gdy przeszła kawałek drogi, dzwoneczki zadzwoniły cudnie:

Ach, kochany Augustynie,
Wszystko minie, minie, minie!

– Poczekaj! – powiedziała księżniczka. – Spytaj go, czy nie wystarczy mu dziesięć pocałunków dam dworu.

– Dziękuję – odrzekł świniopas. – Dziesięć pocałunków księżniczki albo nic nie będzie z garnka!

– Co za uparte stworzenie! – powiedziała księżniczka. – Musicie mnie zasłonić, żeby nikt tego nie widział.

I damy dworu ustawiły się naokoło, rozpostarły suknie i świniopas otrzymał swoich dziesięć pocałunków, a księżniczka dostała garnek.

Cóż to była za radość! Przez cały wieczór i przez cały dzień musiało się gotować w garnku. Nie było w całym mieście ani jednej kuch-

ni, o której by nie wiedziano, co się w niej gotuje, począwszy od kuchni marszałka dworu, a skończywszy na szewcu. Damy dworu tańczyły i klaskały w ręce.

– Wiemy, kto będzie jadł słodką zupę i pączki. Wiemy, kto będzie miał kaszę i pieczeń. Jakie to ciekawe!

– Niezmiernie ciekawe! – powiedziała ochmistrzyni dworu.

– Nie gadajcie za dużo, zapominacie, że jestem córką cesarza!

– Rozumie się! – powiedziały wszystkie.

Świniopas, to jest książę (ale nikt nie wiedział, że nie jest prawdziwym świniopasem), nie tracił czasu i coraz to robił coś innego. Teraz zmajstrował grzechotkę, która przy potrząsaniu grała najpiękniejsze walce, polki, oberki, jakie wymyślono od początku świata.

– To jest *superbe*! – powiedziała księżniczka, idąc koło chlewów. – Nigdy jeszcze nie słyszałam piękniejszej kompozycji! Słuchaj no, idź do niego i spytaj, ile ten instrument kosztuje, ale pamiętaj: o pocałunkach nie ma mowy!

– Chce sto całusów księżniczki – powiedziała dama dworu, wróciwszy od świniopasa.

– Oszalał chyba! – powiedziała księżniczka i odeszła, ale kiedy uszła mały kawałek, zatrzymała się. – Trzeba popierać sztukę – powiedziała. – Jestem córką cesarza! Powiedz mu, że dostanie, tak samo jak wczoraj, dziesięć pocałunków, a resztę od dam dworu.

– Ach, nie bardzo nam się chce! – powiedziały damy dworu.

– To próżne gadanie! – powiedziała księżniczka. – Skoro ja go całowałam, wy też możecie się poświęcić. Pomyślcie tylko, daję wam utrzymanie i pensję!

Wobec tego dama dworu musiała znowu pójść do świniopasa.

- Sto całusów księżniczki - odpowiedział - lub każdy zostaje przy swoim!

- Ustawić się! - powiedziała księżniczka. I wszystkie damy dworu ustawiły się naokoło, by ją zasłonić, a on zaczął całować.

- Cóż to może być za zbiegowisko tam obok chlewów? - powiedział cesarz, który się zjawił na balkonie. Przetarł oczy i założył okulary. - To jakaś sprawka dam dworu. Muszę zejść na dół! - Wsunął głębiej pantofle, bo były przydeptane.

Jakże się śpieszył!

Zszedł na podwórze i skradał się po cichu, a damy dworu były tak zajęte liczeniem pocałunków i pilnowaniem, aby wszystko odbyło się uczciwie i aby świniopas nie dostał ich ani za dużo, ani za mało, że wcale go nie zauważyły. Cesarz wspiął się na palce.

– Co to jest! – zawołał, zobaczywszy całującą się parę, i rzucił w nich pantoflem akurat w chwili, gdy świniopas otrzymywał osiemdziesiąty szósty pocałunek. – Precz! – powiedział cesarz, bo był bardzo zły.

I kazał oboje, księżniczkę i świniopasa, wyrzucić z granic cesarstwa. Wtedy księżniczka zaczęła płakać. Świniopas żartował, a deszcz lał strumieniami.

– Ach, ja nieszczęsna! – powiedziała księżniczka. – Dlaczego nie zgodziłam się być żoną pięknego księcia? Ach, jakże jestem nieszczęśliwa!

Świniopas skrył się za drzewem, starł brązową i czarną farbę z twarzy, zrzucił nędzne ubranie i wystąpił w całym książęcym przepychu, tak piękny, że księżniczka mu się ukłoniła.

– Ukazałem się, by ci wyrazić mą pogardę – powiedział. – Nie chciałaś prawdziwego księcia, nie poznałaś się na róży i na słowiku, a świniopasa całowałaś, aby dostać grającą zabawkę! Masz teraz za to!

I poszedł sobie do swojego królestwa, zatrzasnąwszy i zaryglowawszy jej drzwi przed nosem. Mogła sobie teraz stać na dworze i śpiewać:

Ach, kochany Augustynie,
Wszystko minie, minie, minie!

Księżniczka na ziarnku grochu

Żył sobie pewnego razu książę, który chciał się ożenić z księżniczką, ale to musiała być prawdziwa księżniczka. Jeździł więc po świecie, żeby znaleźć prawdziwą księżniczkę, ale gdy tylko jakąś znalazł, okazywało się, że ma jakieś „ale". Księżniczek było dużo, jednakże książę nigdy nie mógł zdobyć pewności, że to były prawdziwe księżniczki. Zawsze było tam coś niezupełnie w porządku.

Wrócił więc do domu i bardzo się martwił, bo tak ogromnie chciał mieć za żonę prawdziwą księżniczkę.

Pewnego dnia była okropna pogoda: błyskało i grzmiało, a deszcz lał jak z cebra. Było strasznie. Nagle zapukał ktoś do bramy miasta i stary król wyszedł otworzyć.

Przed bramą stała księżniczka. Ale, mój Boże, jakże wyglądała! Co

uczyniły z niej deszcz i słota! Woda spływała z włosów i sukien, wlewała się strumykiem do trzewiczków i wylewała piętami.

Dziewczynka powiedziała, że jest prawdziwą księżniczką.

„Zaraz się o tym przekonamy" – pomyślała stara królowa, ale nie powiedziała ani słowa. Poszła do sypialni, zdjęła całą pościel, na spód łóżka położyła ziarnko grochu i ułożyła jeden na drugim dwadzieścia

materaców na tym ziarnku grochu, a potem jeszcze dwadzieścia puchowych pierzyn na tych materacach.

I na tym posłaniu miała spać księżniczka. Rano królowa zapytała ją, jak spędziła noc.

– O, bardzo źle! – powiedziała księżniczka. – Całą noc oka nie mogłam zmrużyć. Nie wiadomo, co tam było w łóżku. Musiałam leżeć na czymś twardym, bo mam całe ciało brązowe i niebieskie od sińców. To straszne!

Wtedy mieli już pewność, że to jest prawdziwa księżniczka, skoro przez dwadzieścia materacy i dwadzieścia puchowych pierzyn poczuła ziarnko grochu. Taką delikatną skórę mogła mieć tylko prawdziwa księżniczka.

Książę wziął ją za żonę, bo teraz był pewien, że to prawdziwa księżniczka, a ziarnko grochu oddano do muzeum, gdzie jeszcze teraz można je oglądać, jeśli go ktoś nie zabrał.

Widzicie, to jest prawdziwa historia!

Królowa Śniegu

Baśń w siedmiu opowiadaniach

Opowiadanie pierwsze

w którym jest mowa o lustrze i o okruchach

Pewien zły czarownik, jeden z najgorszych, sam diabeł, zrobił kiedyś lustro, które posiadało tę właściwość, że wszystko, co dobre i ładne, odbijało się w nim niewyraźnie, rozpływało się, a to, co nie miało żadnej wartości i było brzydkie, występowało wyraźnie i stawało się jeszcze brzydsze. Najpiękniejsze krajobrazy wyglądały w tym lustrze jak gotowany szpinak, najlepsi ludzie byli szkaradni, mieli tak wykrzywione twarze, że nie można było ich rozpoznać, a ten, kto miał piegi, mógł być pewien, że mu pokryją cały nos i policzki. Skoro tylko przez głowę człowieka przeleciała jakaś zacna, dobra myśl, już twarz w lustrze wykrzywiała się, a diabeł-czarownik śmiał się ze swego niegodziwego wynalazku.

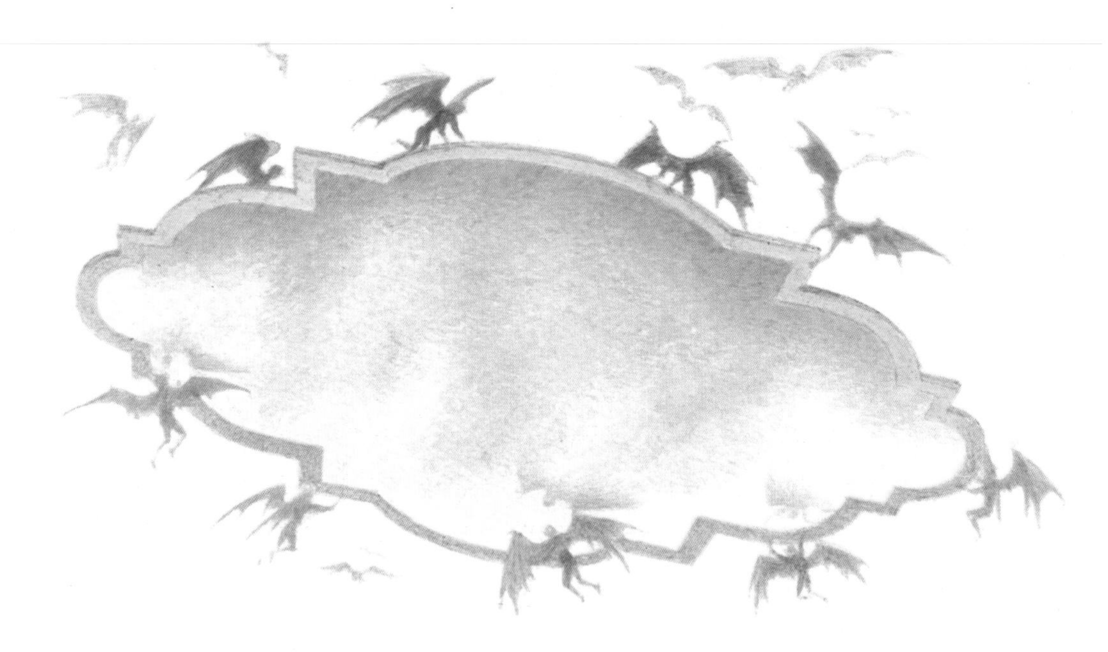

Wszyscy, którzy chodzili do szkoły diabła, gdyż założył on czarcią szkołę, opowiadali na prawo i lewo, że dopiero teraz będzie można dowiedzieć się, jak naprawdę wygląda świat i ludzie. Biegali wszędzie z lustrem i w końcu nie było ani jednego człowieka, ani jednego kraju, który by nie został w nim opacznie odbity.

Pewnego razu przyszło im do głowy, by polecieć do nieba i zabawić się kosztem aniołów i Pana Boga. Im wyżej lecieli z lustrem, tym trudniej było im je utrzymać. Lecieli coraz wyżej i wyżej, aż w pewnej chwili lustro zadrżało tak silnie, że wypadło im z rąk i runęło na ziemię, gdzie rozprysło się na sto milionów, bilionów i jeszcze więcej okruchów. Teraz dopiero wyrządzili ludziom największą krzywdę, gdyż niektóre kawałki szkła były mniejsze od ziarnka piasku i pofrunęły daleko w świat. Gdy wpadły komuś do oka i utkwiły w nim, człowiek ten widział wszystko na odwrót albo spostrzegał tylko to, co było w danym momencie złe, gdyż każdy odłamek lustra miał tę samą właściwość, co całe lustro. Byli też ludzie, którym taki odłamek wpadał do serca, i wtedy działo się coś okropnego – ich serce zamieniało się w kawał lodu. Inne kawałki dostawały się do okularów i źle się działo, kiedy ludzie nakładali te okulary, aby dobrze widzieć. Zły śmiał się wtedy, aż mu się brzuch trząsł.

A w powietrzu unosiły się wciąż maleńkie okruchy lustra.

I słuchajcie, co się dalej działo!

Opowiadanie drugie

Chłopiec i dziewczynka

Pośród wielkiego miasta mieszkało dwoje biednych dzieci, chłopiec miał na imię Kay, a dziewczynka - Gerda. Nie byli bratem i siostrą, ale kochali się jak rodzeństwo. Ich rodzice mieszkali w dwóch domach, przedzielonych wąską uliczką, na poddaszu, w izdebkach z małym oknem. Dachy ich domów prawie stykały się ze sobą.

Rodzice ustawili pod swoimi oknami drewniane skrzynki, w których sadzili warzywa i małe różane krzewy. Skrzynki te wyglądały jak grządki. Zwieszały się z nich pędy grochu, a różane krzewy wypuszczały długie gałązki, wiły się dookoła okien i pochylały ku sobie. Dzieciom pozwalano chodzić do siebie, przesiadywać na drewnianych stołeczkach pod różami i się bawić.

W zimie skończyła się ta przyjemność, okna były często zupełnie zamarznięte, ale wtedy dzieci rozgrzewały przy piecu drobne miedziane monety i przykładały je do zamarzniętych szyb, tak że robiła się okrągła dziurka do patrzenia. W lecie wystarczał im jeden krok, i już byli razem, ale w zimie musieli pokonać wiele schodów na dół i do góry, a na dworze padał śnieg.

- To roje białych pszczół! - powiedziała stara babka.

- Czy one także mają królową? - spytał chłopiec, bo wiedział, że prawdziwe pszczoły mają królową.

- Naturalnie, że mają! - powiedziała babka. - Ich królowa fruwa tam, gdzie się najgęściej roją. Jest większa od innych i nigdy nie odpoczywa na ziemi, odlatuje z powrotem w czarne chmury. Czasami w zimowe wieczory przelatuje przez ulice miasta i zagląda do wszystkich okien, a wtedy okna te zamarzają tak dziwnie, jak gdyby pokrywały się kwiatami.

- Czy Królowa Śniegu może tutaj przyjść? - spytała dziewczynka.

- Niech tylko spróbuje! - powiedział chłopiec. - Posadzę ją na gorącym piecu i się roztopi.

Wieczorem Kay wdrapał się na krzesło przy oknie i spojrzał przez dziurkę. Właśnie spadło parę płatków śniegu i jeden z nich, największy, zawisł na brzegu skrzynki z kwiatami; rósł coraz bardziej i bardziej, w końcu przemienił się w kobietę ubraną w szatę z najdelikatniejszej białej gazy, utkanej jakby z miliona gwiaździstych płatków. Kobieta była bardzo piękna, ale cała jakby z lodu, z olśniewającego, błyszczącego lodu. Jej oczy patrzyły jak dwie jasne gwiazdy, nie było w nich jednak spokoju ani radości. Piękna pani pochyliła się w stronę okna i skinęła ręką. Chłopiec przestraszył się i zeskoczył z krzesła, a wtedy wydało mu się, że obok okna przeleciał wielki ptak.

Następnego dnia był silny mróz, potem zrobiła się odwilż, a potem przyszła wiosna, słońce świeciło, ukazała się zieleń, jaskółki budowały gniazda, otworzono okna i dzieci siedziały znowu w swoim ogródku, wysoko na poddaszu.

Tego lata róże kwitły niezwykle obficie. Dziewczynka nauczyła się psalmu, w którym mowa była także o różach. Zaśpiewała ten psalm chłopcu, a potem zanucili razem:

Róża przekwita i minie,
Pójdź, pokłońmy się Dziecinie.

Dzieci trzymały się za ręce, patrzyły w jasne niebo i mówiły do słońca jak do Dzieciątka Jezus. Cóż to były za cudne, letnie dni, jak przyjemnie było pomiędzy krzewami róż, które, zdawało się, nigdy nie przestaną kwitnąć! Kay i Gerda siedzieli i oglądali książkę z obrazkami, gdy zegar na wieży kościelnej wybił piątą, Kay nagle krzyknął:

- Coś mnie ukłuło w serce! O, a teraz coś mi wpadło do oka! - zamrugał oczami i powiedział: - Chyba już wyleciało!

Ale stało się inaczej.

To właśnie jeden z tych odłamków szkła, na które rozpadło się to wstrętne lustro, a które wszystko, co wielkie i ładne, odbijało jako małe i brzydkie, wpadł mu do oka. Biedny Kay! Również do jego serca wpadł odłamek, by za chwilę przemienić to serce w kawał lodu. Teraz już przestało boleć, ale odłamek tkwił w sercu nadal.

– Dlaczego płaczesz? – spytał. – Tak brzydko wyglądasz! Nic mi przecież nie jest! Fe! – zawołał nagle. – Tę różę toczy robak! A tamta jest zupełnie krzywa. Właściwie te róże są brzydkie. Tak jak skrzynie, w których stoją!

Kopnął nogą skrzynię i zerwał obie róże.

– Kay, co ty robisz? – zawołała dziewczynka, ale on, widząc jej przerażenie, zerwał jeszcze jedną różę i pobiegł do siebie, zostawiając Gerdę samą.

Kiedy nazajutrz przyszła do niego z książką z obrazkami, powiedział, że to dobre dla niemowląt, a potem nie chciał już bawić się z nią i stale jej dokuczał, chociaż była do niego bardzo przywiązana.

Czas płynął, a Kay coraz bardziej się zmieniał. Sprawiło to szkło, które mu wpadło do oka, i szkło tkwiące w jego sercu.

Pewnego zimowego dnia, kiedy prószył śnieg, pojawił się, niosąc sanki na plecach i zawołał do Gerdy:

– Idę na plac, gdzie bawią się chłopcy! – i poszedł.

Na placu było wesoło. Niektórzy chłopcy przywiązywali swoje sanki do chłopskiego wozu i jechali w ten sposób spory kawał drogi. Kiedy bawiono się w najlepsze, nadjechały jakieś wielkie, białe sanie. W środku siedział ktoś otulony w białe futro, w białej, futrzanej czapce na głowie. Sanie objechały plac dwa razy dookoła. Kay przywiązał do nich szybko swoje sanki i tak ruszyli. Jechali coraz prędzej i prędzej, prosto przed siebie, w stronę bramy miasta. Za miastem śnieg zaczął sypać tak gęsto, że chłopiec przestał cokolwiek widzieć wokół siebie. Chciał rozsupłać sznur od sanek, by uwolnić się od wielkich sań, ale nie dał rady. Jego sanki przywiązane były bardzo mocno i pędziły jak wiatr. Zaczął głośno wołać, ale nikt go nie słyszał. Śnieg padał, sanki mknęły jak szalone, od czasu do czasu podskakiwały, tak jakby jechały przez doły i pagórki. Kay się przestraszył. Chciał zmówić *Ojcze nasz*, ale przypomniała mu się tylko tabliczka mnożenia.

Płatki śniegu stawały się coraz większe i większe. Nagle wielkie sanie zatrzymały się i ktoś, kto w nich jechał, wstał i się wyprostował.

Smukła i wysoka, jaśniejąca bielą dama w białym futrze i białej czapce była – Królową Śniegu!

– Zrobiliśmy ładny kawał drogi – powiedziała, a potem posadziła Kaya obok siebie w saniach i otuliła go futrem. – Zmarzłeś? – spytała i pocałowała go w czoło.

Pocałunek był zimniejszy od lodu, dotarł prosto do serca, które już i tak na pół zlodowaciało. Przez chwilę było mu tak, jak gdyby miał umrzeć, ale tylko przez chwilę, potem zrobiło mu się dobrze; nie czuł już zimna.

Królowa Śniegu pocałowała Kaya jeszcze raz, i wtedy zapomniał o małej Gerdzie, o babce i o wszystkich w domu.

Kay spojrzał na nią: była bardzo urodziwa; nie mógł sobie wyobrazić mądrzejszej, piękniejszej twarzy. Teraz nie wydawała mu się już postacią z lodu, jak za pierwszym razem, kiedy ją widział za oknem. Nie bał się już niczego. Patrzył w wielką przestrzeń, kiedy lecieli wysoko ponad czarnymi chmurami. Wicher szumiał i wył, a oni lecieli ponad lasami i jeziorami, nad morzem i lądem. Daleko pod nimi gwizdał zimny wiatr, wyły wilki, śnieg iskrzył się, wyżej leciały czarne, kraczące wrony, a nad wszystkim, wysoko w górze, świecił jasno księżyc. Kay patrzył nań przez całą długą zimową noc, nad ranem zaś zasnął u stóp Królowej Śniegu.

Opowiadanie trzecie

Kwietny ogród kobiety, która umiała czarować

Gerda płakała przez całą zimę, kiedy Kay nie wrócił. Nikt nie wiedział, co się z nim stało. Chłopcy opowiadali tylko, że widzieli, jak przywiązał swoje sanki do dużych, wspaniałych sań, które pomknęły ulicą i wyjechały za bramę miasta. Potem ktoś powiedział jej, że Kay utonął w rzece płynącej za miastem. Ciemne zimowe dni dłużyły się bez końca. Aż wreszcie przyszła wiosna i ciepłe słoneczne promienie.

– Kay odszedł i już nie żyje! – powiedziała Gerda.

– Nie wierzę w to – odparł słoneczny promień.

– Odszedł i już nie żyje! – powiedziała Gerda do jaskółek.

- Nie wierzymy w to! - odrzekły ptaki. I w końcu Gerda sama przestała w to wierzyć.

- Włożę moje nowe, czerwone buciki - powiedziała pewnego ranka. - Kay nie widział ich jeszcze. Pójdę nad rzekę i spytam ją o niego.

Było bardzo wcześnie. Gerda pocałowała babcię, która jeszcze spała, włożyła czerwone buciki i poszła zupełnie sama za bramę miasta, aż nad brzeg rzeki.

- Czy to prawda, że zabrałaś mi mojego towarzysza zabaw? Podaruję ci moje czerwone buciki, jeśli mi go oddasz!

Dziewczynce wydawało się, że fale dziwnie na nią popatrzyły, więc zdjęła swoje ulubione trzewiki i wrzuciła je do rzeki, ale fale wyniosły je z powrotem na brzeg, jak gdyby rzeka, nie mogąc zwrócić Gerdzie Kaya, nie chciała jej zabrać tego, co tak bardzo lubiła. Dziewczynka pomyślała, że pewnie rzuciła trzewiki zbyt blisko brzegu, więc weszła do łódki ukrytej w sitowiu, stanęła na jej najdalej wysuniętym końcu i wrzuciła raz jeszcze trzewiki do wody, ale łódka nie była mocno przywiązana, zakołysała się pod ciężarem i odbiła od brzegu. Gerda nie zdążyła wysiąść, łódka oddaliła się od brzegu i popłynęła szybko środkiem rzeki.

Przestraszona Gerda zaczęła płakać, ale nikt jej nie słyszał prócz wróbli, które z ćwierkaniem leciały wzdłuż brzegu. Łódka gnała z prądem. Gerda uspokoiła się.

„Może rzeka zaniesie mnie do Kaya" - pomyślała Gerda.

Ta myśl ją pocieszyła. Wyprostowała się i przez długie godziny patrzyła na zielony brzeg. W końcu dopłynęła do dużego wiśniowego sadu, wśród którego widać było mały domek z dziwnymi czerwonymi, niebieskimi i żółtymi szybami i słomianym dachem. Przed domkiem stało dwóch drewnianych żołnierzy, prezentujących broń przed każdym, kto przepływał obok.

Gerda myślała, że to są żywi żołnierze i zawołała do nich, ale oni oczywiście nic nie odpowiedzieli.

Prąd rzeki zniósł łódkę do samego brzegu. Gerda krzyknęła jeszcze głośniej, a wtedy z domku wyszła stara kobieta, podpierająca się zakrzywionym kosturem.

- Biedne dziecko! - powiedziała staruszka. - Jak znalazłaś się na tej rwącej rzece? - po czym weszła do wody, zaczepiła kosturem o łódkę i wyciągnęła ją na brzeg.

Gerda była zadowolona, że jest znowu na lądzie, ale bała się trochę tej obcej, starej kobiety.

- Chodź, opowiedz mi, kim jesteś i jak się tu dostałaś - powiedziała kobieta.

I Gerda opowiedziała jej wszystko po kolei, a kiedy skończyła i spytała, czy nie widziała Kaya, kobieta potrząsnęła przecząco głową. Na pociechę dodała, że jeszcze tędy nie przechodził, ale wkrótce na pewno się pojawi. A Gerda nie powinna się smucić, tylko skosztować jej wisienek i obejrzeć kwiaty. Staruszka zaprowadziła Gerdę do domku.

Przez czerwone, niebieskie i żółte szyby przeświecało światło dzienne i mieniło się wszystkimi barwami. Na stole stała misa najpiękniejszych wiśni. Podczas kiedy Gerda jadła, staruszka czesała jej włosy złotym grzebieniem, i wtedy dziewczynka zaczęła powoli zapominać o Kayu, gdyż staruszka umiała czarować. Nie była jednak złą czarownicą, chciała tylko odebrać Gerdzie wspomnienia i zatrzymać dziewczynkę u siebie. Dlatego poszła do ogrodu i dotknęła kosturem wszystkich różanych krzewów, które natychmiast zapadły się głęboko w czarną ziemię. Staruszka bała się bowiem, że kiedy Gerda zobaczy róże, pomyśli o swoich różach, a wtedy przypomni sobie Kaya i ucieknie od niej.

Minęło wiele dni. Gerda bawiła się godzinami w cudownym ogrodzie, w ciepłych promieniach słońca, wśród kwiatów. Znała już je

wszystkie, ale ciągle jej się wydawało, że jakiegoś jednego brak. Pewnego razu, kiedy oglądała kapelusz staruszki wymalowany w kwiaty, zobaczyła na nim różę. Staruszka zapomniała usunąć ją z kapelusza, podczas gdy wszystkie żywe róże zagrzebała w ziemi.

Gerda skoczyła pomiędzy grządki, szukając róż, ale nie znalazła ani jednej. Pełna żalu rozpłakała się, a jej gorące łzy padły właśnie na to miejsce, gdzie zakopany był różany krzew. Kiedy łzy zrosiły ziemię, krzew wystrzelił do góry, obsypany kwiatami. Gerda całowała płatki róż i nagle przypomniała sobie piękne róże w domu, a wraz z nimi - Kaya.

- Ach, jak ja się tu zasiedziałam! - powiedziała dziewczynka. - Chciałam przecież szukać Kaya. Czy nie wiecie, gdzie on jest? - spytała róż. - Może nie żyje?

- Nie! - odpowiedziały róże. - Byłyśmy przecież w ziemi, gdzie są wszyscy umarli, ale Kaya tam nie było!

– Dziękuję wam bardzo – powiedziała Gerda i pobiegła boso na koniec ogrodu do furtki, a potem dalej i dalej, przed siebie.

Kiedy przysiadła odpocząć i rozejrzała się dokoła, zrozumiała, że lato przeszło i jest już późna jesień. Tam, w wielkim ogrodzie, gdzie było tyle słońca i kwiaty kwitły cały rok, nie spostrzegła, jak mija czas.

Opowiadanie czwarte

Książę i księżniczka

Na świecie było szaro i zimno. Gerda musiała znowu odpocząć, gdyż miała poranione nogi. Tuż przed miejscem, gdzie siedziała, sfrunęła na śnieg wrona; przyglądała się dziewczynce i kręciła głową.

– Kra, kra – przywitała dziewczynkę. – Co tutaj robisz taka sama?

Słowo „sama" Gerda zrozumiała natychmiast i opowiedziała wronie o wszystkim, co przeżyła, a na koniec spytała, czy nie widziała Kaya. Wrona kiwnęła w zamyśleniu głową i powiedziała:

– To możliwe, to bardzo możliwe!

– Naprawdę? – zawołała dziewczynka i mało nie udusiła ptaka w uściskach.

– Spokojnie, spokojnie – powiedziała wrona. – Myślę, że to mógł być Kay! Ale na pewno zapomniał o tobie przy księżniczce.

– Czy on mieszka u księżniczki? – spytała Gerda.

– Tak, posłuchaj – powiedziała wrona. – W państwie, w którym teraz jesteśmy, żyje nasza księżniczka; jest tak niebywale mądra, że przeczytała wszystkie gazety świata, a potem zapomniała to, co przeczytała. Teraz postanowiła wyjść za mąż, ale za tego, co potrafiłby odpowiedzieć na zadawane mu pytania, nie tego, co tylko stoi i wytwornie wygląda, bo to jest nudne. No i księżniczka kazała ogłosić, że każdy dobrze prezentujący się młodzieniec może przyjść na zamek i z nią porozmawiać, a ten, który będzie się tam zachowywał jak należy, ale swobodnie, i będzie najmądrzej mówił, zostanie mężem księżniczki. Więc młodzi ludzie ciągnęli gromadnie, ale nikomu się nie poszczęściło ani pierwszego, ani drugiego dnia. Kiedy stali na ulicy przed zamkiem, rozmawiali swobodnie, ale gdy tylko wchodzili w bramę zamkową, tracili głowy na widok gwardzistów w srebrze, lokajów w złocie na schodach wielkich oświetlonych sal; stali przed tronem, na którym siedziała księżniczka, i nie umieli nic powiedzieć prócz ostatniego słowa przez nią wymówionego, a jej nie zależało przecież na tym, aby usłyszeć powtórzone własne słowa.

– A Kay! – spytała Gerda. – Czy był między nimi Kay?

– Cierpliwości! – odparła wrona. – Zaraz do niego dojdziemy. Trzeciego dnia na zamek przyszedł chłopiec; pieszo, bez konia i bez pojazdu. Szedł wesoło, oczy mu błyszczały. Miał prześliczne, długie włosy, ale był ubogo ubrany.

– To był Kay! – ucieszyła się Gerda.

– Na plecach miał mały tornister – ciągnęła wrona.

– To były chyba jego sanki – zauważyła Gerda. – Zniknął z sankami.

– Możliwe! – powiedziała wrona. – Nie widziałem dokładnie. Ale wiem od mojej narzeczonej – ona jest oswojona i może swobodnie bywać na zamku – że kiedy przechodził przez zamkowe wrota i zobaczył gwardię, a na schodach lokajów, zupełnie się nie zmieszał. Z księżniczką zaś rozmawiał tak wesoło i mądrze, że wybrała go na męża.

– To na pewno był Kay! – powiedziała Gerda. – Był zawsze bardzo mądry. Och, zaprowadź mnie na zamek!

– Łatwo powiedzieć! Takiej małej dziewczynki nigdy tam nie puszczą, ale pomówię z moją oswojoną narzeczoną; na pewno coś nam poradzi. Czekaj na mnie przy ogrodzeniu! – powiedziała wrona i odleciała.

Kiedy nadszedł wieczór, wrona powróciła.

– Kra, kra! Moja narzeczona zna pewne tajne schody, prowadzące do sypialnianych pokojów, i wie, gdzie można znaleźć klucze!

I kiedy w zamku pogasły światła, wrona zaprowadziła Gerdę do tylnych drzwi, które były uchylone, a potem po schodach do sypialni księżniczki. Pośrodku pokoju, na grubym sznurze ze złota, wisiały dwa łoża w kształcie kielicha lilii. Jedno było białe, leżała na nim księżniczka, drugie było czerwone, i tam Gerda zobaczyła brązowy kark.

– Kay! – krzyknęła głośno, ale to nie był Kay, tylko młody i piękny książę.

Z łóżka, które wyglądało jak kielich białej lilii, wyjrzała księżniczka i spytała, co się stało. Gerda rozpłakała się i opowiedziała całą swoją historię i wszystko, co zrobiły dla niej wrony.

– Biedne dziecko! – wzruszyli się książę i księżniczka, a potem powiedzieli wronom, że tym razem zostaną wynagrodzone, ale żeby nigdy więcej nikogo potajemnie nie wpuszczały.

– Wolicie latać na wolności – spytała księżniczka – czy raczej mieć stałe miejsce jako dworskie wrony i korzystać ze wszystkich odpadków w kuchni?

Obie wrony dygnęły nisko i poprosiły o stałe miejsce, gdyż dobrze jest mieć spokój na stare lata, powiedziały na zakończenie.

Książę był taki dobry dla Gerdy, że ustąpił jej swego łóżka, aby mogła dobrze wypocząć, a nazajutrz ubrano ją od stóp do głów w jedwab i aksamit i pozwolono zostać w pałacu, gdzie mogłaby przyjemnie spędzać czas, ale Gerda poprosiła tylko o wóz z koniem i parę bucików, bo chciała wyruszyć znowu w daleki świat szukać Kaya.

Książę i księżniczka nalegali, żeby jednak przyjęła od nich złotą karetę ze stangretem i służącymi, po czym serdecznie ją pożegnali, życząc wiele szczęścia. Leśna wrona, która właśnie pobrała się z wroną oswojoną, odprowadziła Gerdę trzy mile. W końcu trzeba było się pożegnać, i to było najcięższe rozstanie. Wrona pofrunęła na drzewo i trzepotała czarnymi skrzydłami, dopóki kareta, która błyszczała jak jasny promień słońca, nie zniknęła jej z oczu.

Opowiadanie piąte

Mała rozbójniczka

Jechali przez ciemny las, ale kareta błyszczała jak pochodnia, kłując w oczy czyhających w zaroślach rozbójników.

- Złoto, złoto! - krzyczeli, biegnąc co sił.

Schwycili konie za uzdy, zabili stangreta i służących, a Gerdę wyciągnęli z karety.

- Jest młoda i tłuściutka, na pewno karmiona orzechami. Będzie mi smakować jak małe jagniątko - powiedziała stara rozbójnica i wyciągnęła nóż.

Ale w tej chwili jej własna, dzika i nieznośna córka wrzasnęła:

- Zostaw ją! Chcę, żeby ona bawiła się ze mną! Niech mi odda swoją mufkę, buciki i tę śliczną sukienkę i niech wsiądzie ze mną do karety!

Rozbójniczka była wzrostu Gerdy, ale silniej zbudowana, o ciemnej cerze i ciemnych włosach, ubrana w spodnie i buty do konnej jazdy. Kapryśna i gwałtowna, wrzeszczała tak długo, aż postawiła na swoim. W karecie objęła Gerdę ramieniem i powiedziała już spokojnie:

- Nie wolno im będzie zabić cię, dopóki się na ciebie nie pogniewam. Czy jesteś księżniczką?

- Nie - odparła Gerda i opowiedziała o wszystkim, co przeżyła, i o tym, jak bardzo kocha Kaya.

Córka rozbójników spojrzała na nią z powagą, pokiwała głową i rzekła:

- Nie będzie im wolno zabić cię nawet wtedy, kiedy się na ciebie pogniewam.

Kareta zatrzymała się na środku podwórza zrujnowanego zamku, schronienia rozbójników. W wielkiej, zadymionej sali palił się ogień; dym wznosił się aż do sklepienia, szukając ujścia w szczelinach. Nad ogniem wisiał duży kocioł z parującą zupą.

Na żelaznych prętach, wbitych wysoko w mur, siedziało wielkie stado gołębi, ale para gołębi leśnych zamknięta była w klatce. Gerda zauważyła też przywiązanego do palika pięknego renifera z błyszczącą miedzianą obróżką na szyi.

- Te zwierzęta należą do mnie - powiedziała rozbójniczka. - A teraz opowiedz mi jeszcze raz wszystko o twoim Kayu.

Gerda zaczęła opowiadać i wkrótce usłyszała oddech śpiącej rozbójniczki, sama jednak nie mogła zasnąć, bojąc się rozbójników siedzących przy ognisku na dworze. Nagle usłyszała, jak gołębie leśne powiedziały:

- Grr, grr! Widziałyśmy Kaya. Siedział w saniach Królowej Śniegu, unoszących się nad lasem, podczas gdy my siedziałyśmy w naszym gnieździe. Grr, grr!

- Co powiedziałyście? - spytała gorączkowo Gerda. - Dokąd pojechała Królowa Śniegu?

- Pewnie pojechała do Laponii - powiedział renifer. - Królowa Śniegu ma tam swój letni pawilon, ale jej stały zamek stoi na biegunie północnym.

Rano Gerda powtórzyła swej nowej przyjaciółce to, o czym mówiły leśne gołębie. Rozbójniczka słuchała uważnie i po chwili powiedziała:

- Wszyscy nasi mężczyźni już wyszli, matka jeszcze jest, ale koło południa ucina sobie zazwyczaj drzemkę. Wtedy będę mogła ci pomóc.

Rozbójnicza córka dotrzymała obietnicy. Najpierw szeptem długo przekazywała reniferowi, żeby jak najszybciej, nie szczędząc sił, zawiózł dziewczynkę do Królowej Śniegu, a na koniec zwróciła się do Gerdy:

– Mój renifer zawiezie cię do Laponii. Oddaję ci twoje buciki, ale mufkę zatrzymuję, bo jest zbyt ładna. Dam ci za to te okropne rękawice mojej matki, żebyś nie zmarzła. A tu masz na drogę dwa bochenki chleba i szynkę.

Potem, zachowując ostrożność, wyprowadziła Gerdę ukradkiem na dwór i pomogła wsiąść na renifera. Dziewczynki pożegnały się serdecznie, renifer zaś zerwał się do biegu przez pola i lasy, przez błota i stepy, nie bacząc na krzaki i kamienie.

– Popatrz! – zawołał nagle. – Tam błyszczy zorza polarna!

A potem ruszył jeszcze prędzej, coraz dalej i dalej, dniem i nocą, aż wkrótce znaleźli się w Laponii.

Opowiadanie szóste

Laponka i Finka

Zatrzymali się przed małym, bardzo nędznym domkiem. Wewnątrz nie było nikogo oprócz starej Laponki, która, stojąc przy tranowej lampie, smażyła rybę. Ren opowiedział całą historię dziewczynki, gdyż Gerda była tak zmarznięta, że nie mogła wcale mówić.

– Biedactwo! – powiedziała Laponka. – Macie jeszcze daleką drogę przed sobą. Musicie przebiec jeszcze sto mil równiny Finmarku, by dotrzeć do zamku Królowej Śniegu. Nie mam papieru, ale napiszę parę słów na wysuszonej skórze dorsza do pewnej Finki mieszkającej tam, na północy. Ona da wam lepsze wskazówki niż ja.

Gerda ogrzała się, najadła i napiła. Potem starannie przywiązała skórę dorsza do karku renifera, pożegnała życzliwą Laponkę i ruszyli w drogę.

Mknęli wysoko w powietrzu, w świetle płonącej przez całą noc najpiękniejszej zorzy polarnej, aż znaleźli się w Finmarku. Zapukali do komina Finki, bo w chacie nie było drzwi wejściowych.

Finka była bardzo niska i brudna. Przeczytała trzy razy to, co napisane było na skórze dorsza, tak że nauczyła się tego na pamięć, po czym wrzuciła rybę do garnka z zupą, żeby nic się nie zmarnowało.

Renifer opowiedział jej historię Gerdy, a Finka błyskała mądrymi oczami, ale nic nie mówiła.

– Jesteś mądra! – powiedział na koniec renifer. – Wiem, że wiele potrafisz. Czy zechciałabyś dać tej dziewczynce do wypicia taki napój, aby zrobiła się silna jak dwunastu mężczyzn i pokonała Królową Śniegu?

Finka podeszła do łóżka, wzięła dużą, zwiniętą skórę i rozpostarła ją na ziemi. Na skórze widać było jakieś dziwaczne litery. Finka pogrążyła się w czytaniu. Renifer ponownie zaczął tak gorąco wstawiać się za dziewczynką, a Gerda patrzyła tak błagalnie, że Finka znów błysnęła spojrzeniem, zaciągnęła renifera w kąt pokoju i tłumaczyła mu szeptem:

– Kay jest co prawda u Królowej Śniegu, ma tam wszystko, czego tylko dusza zapragnie, i jest pewien, że to najlepsze miejsce na świecie, ale dzieje się tak dlatego, że ma w sercu okruch, a w oku okruszynę szkła. Trzeba mu to wyjąć, inaczej nie stanie się nigdy prawdziwym człowiekiem i Królowa Śniegu zachowa nad nim swą moc. A tej małej nie mogę użyczyć większej mocy niż ta, którą posiada. Czy nie widzisz, że służą jej ludzie i zwierzęta, że udało jej się przejść boso przez świat? Jej siła płynie z czystego serca. Jeśli nawet ona nie zdoła dostać się do Królowej Śniegu i uwolnić Kaya od okruchów szkła, to my nic tu nie pomożemy. O dwie mile stąd zaczyna się ogród Królowej Śniegu. Zawieź tam dziewczynkę, zostaw ją koło krzaka, obsypanego czerwonymi jagodami i natychmiast wracaj.

Finka posadziła Gerdę na grzbiecie renifera, który z miejsca poderwał się do biegu.

– Ach, nie zabrałam swoich bucików ani rękawic! – zawołała Gerda, ale renifer nie zatrzymał się, tylko pędził jak wiatr aż do dużego krzaka z czerwonymi jagodami. Tam Gerda zsiadła, on zaś ruszył z powrotem. Gerda została sama, bez bucików i bez rękawiczek, pośrodku straszliwych, lodowato zimnych pól Finmarku.

Pobiegła szybko przed siebie, gdy nagle powietrze zaroiło się od śnieżnych płatków, które jednak nie padały z czystego nieba, lecz biegły tuż nad ziemią, coraz większe i coraz bardziej przerażające – przybrały kształty szkaradnych jeżozwierzy, splecionych węży, nastroszonych niedźwiedzi. To była przednia straż Królowej Śniegu.

Gerda zaczęła się modlić. Mróz był tak wielki, że oddech, parujący z jej ust jak dym, stawał się coraz gęstszy i gęstszy, aż ułożył się w kształt jasnych aniołków, które w miarę zbliżania się do ziemi stawały się coraz większe. Teraz miały na głowach hełmy, a w rękach dzidy, którymi rozbijały śniegowe straszydła na tysiączne kawałki. Gerda ruszyła pewnie i radośnie dalej. Aniołki tak gładziły jej nogi i ręce, że nie czuła zimna i szła prędko do pałacu Królowej Śniegu.

Opowiadanie siódme

Co się działo w zamku Królowej Śniegu i co się później stało

A co tymczasem działo się z Kayem? Jak wiemy, chłopiec zupełnie zapomniał o Gerdzie, tak więc nie przyszło mu na myśl, że właśnie stoi ona na dworze przed zamkiem.

Ściany zamku były dziełem śnieżnej zawiei, okna i drzwi zbudowały ostre wiatry. Zamek miał ponad sto sal – ich liczba i wielkość zależały od tego, jak zawiał śnieg. Największa sala rozciągała się na wiele mil. Wszystkie pomieszczenia, oświetlone silnym światłem zorzy polarnej, były wielkie, puste, lodowato zimne i błyszczące.

I w takiej pustej, niekończącej się sali, pośrodku której znajdowało się zamarznięte jezioro, siedział Kay. Chłopiec był zupełnie siny z mrozu, ale nie czuł tego, gdyż Królowa Śniegu odjęła mu swym pocałunkiem wrażliwość na zimno, a jego serce stało się kawałkiem lodu.

Chłopiec siedział w zamyśleniu, próbując ułożyć z płaskich lodowych szybek jakiś kunsztowny wzór, lodową łamigłówkę, ale nic mu nie wychodziło. Wpatrując się w ułożone płytki, siedział sztywno i bez ruchu, jakby zamarzł.

I wtedy właśnie Gerda dostała się przez wielkie wrota do zamku i weszła do wielkiej, zimnej sali. Zobaczyła Kaya, podbiegła do niego i mocno objęła.

- Kay, drogi, kochany Kay! - zawołała. - Nareszcie cię odnalazłam!

Ale chłopiec siedział w milczeniu, sztywny i zimny.

Gerda rozpłakała się. Jej gorące łzy spłynęły na pierś Kaya, dostały się do jego serca, roztopiły lód i wchłonęły okruch szkła, a dziewczynka odruchowo i bezwiednie zanuciła:

Róża przekwita i minie,
Pójdź, pokłońmy się Dziecinie.

Kay wybuchnął płaczem i odłamek szkła wypłynął mu z oka, poznał Gerdę i zawołał radośnie:

- Gerdo, kochana Gerdo! Gdzie byłaś tak długo? I gdzie ja byłem? - Rozejrzał się wokoło. - Jak tu zimno i jak pusto!

Przytulił się mocno do Gerdy, a ona śmiała się i płakała z radości. Ucałowała jego policzki, które zaróżowiły się, i jego oczy, które zalśniły dawnym blaskiem.

A potem wzięli się za ręce i wywędrowali z wielkiego zamku. Rozmawiali o babce i o różach kwitnących na dachu. Wszędzie, gdzie przechodzili, wiatr uspokajał się i ukazywało się słońce. Obok krzaka z czerwonymi jagodami czekał renifer, który zawiózł ich najpierw do Finki, gdzie ogrzali się w ciepłej izbie, a potem do Laponki, która uszyła im nowe ubrania i przygotowała sanki na dalszą podróż.

Po drodze spotkali także rozbójniczkę jadącą na pięknym koniu. Po radosnym powitaniu rozbójniczka powiedziała do Kaya:

- Nicpoń z ciebie, że się tak po świecie włóczysz. Nie wiem, czy zasługujesz na to, żeby z twojego powodu pędzić na koniec świata!

Przy pożegnaniu rozbójniczka obiecała, że odwiedzi ich, jeżeli będzie gdzieś blisko przejazdem.

Na świecie zrobiła się cudna wiosna, wszystko kwitło i zieleniało, dzwony biły radośnie. Gerda i Kay wędrowali, trzymając się za ręce. Doszli w końcu do swojego miasta, poznając jego wysokie wieże. Dotarli do domu babki, weszli po schodach do izdebki, gdzie wszystko stało na tym samym miejscu, co kiedyś, a zegar tykał jak dawniej. Ale kiedy przechodzili przez drzwi, spostrzegli, że stali się już dorosłymi ludźmi. Róże na dachu kwitły i zaglądały w otwarte okna. Kay i Gerda usiedli na swojej dziecinnej ławeczce i wzięli się za ręce. O zimnych, pustych wspaniałościach u Królowej Śniegu zapomnieli już jak o złym śnie.

Spojrzeli sobie w oczy i nagle zrozumieli starą pieśń:

Róża przekwita i minie,
Pójdź, pokłońmy się Dziecinie.

I tak siedzieli razem: już dorośli, a jednak nadal dzieci – dzieci w głębi serc. A wokół nich było lato, gorące błogosławione lato.

Nowe szaty cesarza

Przed wielu laty żył sobie cesarz, który tak bardzo lubił nowe, wspaniałe szaty, że wszystkie pieniądze wydawał na stroje. Nie dbał o swoich żołnierzy, nie zależało mu ani na teatrze, ani na łowach, szło mu tylko o to, by obnosić przed ludźmi coraz to nowe stroje. Na każdą godzinę dnia miał inne ubrania, i tak samo, jak się mówi o królu, że jest na naradzie, mówiono o nim zawsze: „Cesarz jest w garderobie".

W wielkim mieście, gdzie mieszkał cesarz, było bardzo wesoło; codziennie przyjeżdżało wielu cudzoziemców. Pewnego dnia przybyło

tam dwu oszustów, podali się za tkaczy i powiedzieli, że potrafią tkać najpiękniejsze materie, jakie sobie tylko można wymarzyć. Nie tylko barwy i wzór miały być niezwykle piękne, ale także szaty uszyte z tej tkaniny miały cudowną właściwość: były niewidzialne dla każdego, kto nie nadawał się do urzędu albo też był zupełnie głupi.

„To rzeczywiście wspaniałe szaty! - pomyślał cesarz. - Gdybym je miał na sobie, mógłbym się przekonać, którzy ludzie w moim państwie nie nadają się do swoich urzędów, odróżniłbym też mądrych od głupich. Tak, ten materiał muszą mi utkać jak najprędzej". I dał obu oszustom z góry dużo pieniędzy, aby mogli rozpocząć pracę.

Oszuści ustawili warsztaty tkackie. Udawali, że pracują, ale nie mieli nic na warsztatach. Zażądali od razu najdroższych jedwabi i najwspanialszego złota; chowali je dla siebie i pracowali przy pustych warsztatach, i to często do późnej nocy.

„Chciałbym jednak wiedzieć, jak postępuje robota" – pomyślał cesarz, ale zrobiło mu się nieswojo na myśl, że człowiek głupi albo niezdatny do urzędu, który piastuje, nic nie zobaczy. Uspokoił się wprawdzie, że o siebie nie potrzebuje się obawiać, ale postanowił jednak posłać kogoś, aby dowiedzieć się, jak rzeczy stoją. Wszyscy ludzie w mieście wiedzieli, jaką cudowną właściwość miała mieć ta materia, i wszyscy pragnęli się przekonać, że ich sąsiad jest głupi lub zły.

„Poślę do tkaczy mojego starego, poczciwego ministra - pomyślał cesarz. - Ten będzie mógł najlepiej ocenić ich pracę, bo ma dużo rozumu i nikt lepiej niż on nie sprawuje swojego urzędu".

I oto stary, poczciwy minister poszedł do sali, gdzie siedzieli dwaj oszuści i pracowali przy pustych warsztatach tkackich. „Boże drogi - pomyślał stary minister i wytrzeszczył oczy. - Przecież ja nic nie widzę". Ale głośno nie przyznał się do tego.

Obaj oszuści prosili go, aby łaskawie zbliżył się do nich, i pytali, czy wzór nie jest piękny i barwa wspaniała. Wskazywali przy tym na puste warsztaty i biedny, stary minister otwierał w dalszym ciągu oczy, ale nie mógł nic dostrzec, bo nic tam nie było. „Wielki Boże! - pomyślał. - Czyżbym był głupi? Tego nigdy nie przypuszczałem i nikt nie powinien się o tym dowiedzieć. Czyżbym nie nadawał się do swego urzędu? Nie, nie mogę nikomu powiedzieć, że nie widziałem tkaniny".

- No i co, nic pan nie mówi? - powiedział jeden z tkaczy.

- O, to jest śliczne, bardzo ładne! - powiedział stary minister, patrząc przez okulary. - Co za wzór i jakie kolory! Tak, powiem cesarzowi, że tkanina niezwykle mi się podoba.

- To nas cieszy - powiedzieli tkacze i wymienili nazwy barw oraz objaśnili rysunek wzorów.

Stary minister pilnie uważał, aby móc dokładnie powtórzyć wszystko cesarzowi, co też uczynił. Po czym oszuści zażądali więcej pieniędzy i nowego zapasu jedwabiu

i złota, potrzebnego jakoby do dalszej pracy. Ale znów wszystko wzięli dla siebie, a na warsztatach tkackich nie było ani jednej nitki. Pomimo to siedzieli jak przedtem przy pustych warsztatach.

Cesarz posłał wkrótce innego uczciwego urzędnika, aby zobaczył, jak postępuje praca tkaczy i czy tkanina będzie już wkrótce skończona. Powiodło mu się zupełnie tak samo jak ministrowi. Patrzył i patrzył, ale ponieważ nie było nic na warsztatach, nie mógł więc nic zobaczyć.

– Czyż to nie cudowna tkanina? – zapytali obaj oszuści i pokazali mu wspaniały wzór, który wcale nie istniał.

„Głupi nie jestem – pomyślał posłany człowiek. – A więc chyba nie nadaję się do mojego świetnego stanowiska. Byłoby to dość dziwne, ale nie trzeba tego po sobie okazywać". Pochwalił tkaninę, której nie widział, i zapewnił oszustów, że bardzo mu się podobają piękne barwy i ładny wzór.

– Tak, to przepiękne – powiedział do cesarza.

Wszyscy ludzie w mieście mówili o wspaniałej tkaninie.

Wreszcie cesarz sam zapragnął zobaczyć materię na warsztacie. Wybrał się więc z całą gromadą oddanych mu ludzi, wśród których znajdowali się i tamci dwaj dzielni urzędnicy, którzy już tu byli, i zastał sprytnych oszustów pracujących jak najgorliwiej, lecz bez nici i bez osnowy.

– Czyż to nie wspaniałe? – powiedzieli dwaj dostojni urzędnicy. – Niech Jego Cesarska Mość tylko spojrzy, co za wzór, co za barwy! – I pokazywali puste krosna, gdyż myśleli, że wszyscy oprócz nich widzą tkaninę.

„Cóż to? – pomyślał cesarz. – Nic nie widzę. To straszne! Czyżbym był głupi? Czy jestem niewart tego, aby być cesarzem? To byłoby najstraszniejsze, co mi się mogło przytrafić".

– O tak, to jest bardzo piękne – powiedział cesarz. – Raczę to bardzo pochwalić! – Kiwnął z zadowoleniem głową i zaczął oglądać puste krosna, bo nie chciał powiedzieć, że nic nie widzi.

Cały orszak, który otaczał cesarza, patrzył i patrzył, ale także nic nie widział, wszyscy jednak mówili tak jak cesarz:

– Tak, to jest bardzo piękne.

I radzili monarsze, aby szaty z tego nowego wspaniałego materiału włożył po raz pierwszy na wielką procesję, która miała się wkrótce odbyć.

– *Magnifique*, zachwycające, *excellent*! – powtarzał jeden za drugim, i wszyscy byli niezwykle radzi.

Cesarz ofiarował każdemu z oszustów krzyż do noszenia w dziurce od guzika i nadał każdemu tytuł nadwornego tkacza.

Przez całą noc poprzedzającą procesję oszuści nie spali i szyli szaty przy szesnastu świecach. Ludzie

widzieli, jak się śpieszą, aby wykończyć szaty cesarza. Wykonywali takie ruchy, jakby zdejmowali materiał z krosien, cięli wielkimi nożycami w powietrzu, szyli igłami bez nici i wreszcie powiedzieli:

- Oto szaty. Gotowe.

Cesarz przyszedł do nich z najdostojniejszymi dworzanami, a dwaj oszuści podnosili ramiona takim ruchem, jakby coś trzymali w ręku, i mówili:

- Oto spodnie, oto frak, a oto płaszcz! - I tak dalej. - Wszystko takie lekkie jak pajęczyna; takie cienkie, że się nic na ciele nie czuje, ale na tym polega cała zaleta tych szat.

– Istotnie – powiedzieli wszyscy dworzanie, choć nie mogli nic zobaczyć, bo przecież nic nie było.

– Może Jego Cesarska Mość raczy łaskawie zdjąć swoje suknie – powiedzieli oszuści. – Przymierzymy nowe szaty tu, przed tym wielkim lustrem!

Cesarz zdjął ubranie, a oszuści udawali, że wkładają na niego różne części nowo uszytych szat. Objęli go wpół tak, jak gdyby coś

zawiązywali, niby to tren; cesarz zaś kręcił się i obracał przed lustrem.

– Boże, jak to dobrze leży, jak cesarzowi w tym do twarzy – mówili oszuści. – Jaki wzór, jakie barwy! To wspaniały strój!

– Baldachim, który będą nieść podczas procesji nad Jego Cesarską Mością, czeka przed domem – oznajmił najwyższy mistrz ceremonii.

– Dobrze, jestem gotów – powiedział cesarz. – Czy dobrze leży? – I wykręcił się jeszcze raz przed lustrem, żeby się wydawało, że ogląda swój wspaniały strój.

Dworzanie, którzy mieli nieść tren, schylili się do ziemi i czynili takie ruchy rękami, jakby ów tren podnosili, a potem szli i udawali, że coś niosą w powietrzu. Nie ośmielali się okazać, że nic nie widzą.

I tak oto kroczył cesarz w procesji pod wspaniałym baldachimem, a wszyscy ludzie na ulicy i w oknach mówili:

– Boże, jakież te nowe szaty cesarza są piękne! Jaki wspaniały tren, jaki świetny krój.

Nikt nie chciał po sobie pokazać, że nic nie widzi, bo wtedy okazałoby się, że nie nadaje się do swego urzędu albo że jest głupi. Żadne szaty cesarza nie cieszyły się takim powodzeniem jak właśnie te.

– Patrzcie, przecież on jest nagi! – zawołało jakieś małe dziecko.

– Ludzie, słuchajcie głosu niewiniątka – powiedział wtedy jego ojciec i w tłumie jeden zaczął szeptem powtarzać drugiemu to, co dziecko powiedziało.

– On jest nagi, małe dziecko powiedziało, że jest nagi!

– On jest nagi! – zawołał w końcu cały lud.

Cesarz zmieszał się, bo wydało mu się, że jego poddani mają słuszność, ale pomyślał sobie: „Muszę wytrzymać do końca procesji". I wyprostował się jeszcze dumniej, a dworzanie szli za nim, niosąc tren, którego wcale nie było.

Dzielny ołowiany żołnierz

Było sobie pewnego razu dwudziestu pięciu ołowianych żołnierzy; wszyscy byli braćmi, bo wszyscy powstali z jednej dużej, starej łyżki. Broń trzymali na ramieniu, a głowy sztywno. Mundury mieli wspaniałe, czerwone i niebieskie. „Ołowiane żołnierzyki!" – to były pierwsze słowa, które doszły do ich uszu, gdy otwarto pudełko, w którym je ułożono. Tak zawołał pewien mały chłopiec, klaszcząc z radości w ręce; dostał on żołnierzy w dniu swych urodzin i właśnie ustawił ich na stole. Żołnierze byli zupełnie podobni do siebie i tylko jeden jedyny był trochę inny: miał tylko jedną nogę, gdyż ulano go na ostatku i nie starczyło już ołowiu. Pomimo to stał tak samo pewnie na jednej nodze jak inni na dwóch, i właśnie ten żołnierz bez nogi wyróżnił się najbardziej.

Na stole, gdzie ustawiono żołnierzy, stało dużo innych zabawek, ale najbardziej rzucał się w oczy śliczny papierowy zamek; przez maleńkie okienka można było zajrzeć do środka. Przed zamkiem

stały małe drzewa naokoło lusterka, które miało naśladować jezioro; łabędzie z wosku pływały po tym jeziorze i odbijały się w jego tafli. Wszystko to było prześliczne, ale najpiękniejsza była maleńka panienka, stojąca pośrodku otwartej bramy zamkowej. Była tak samo jak zamek wycięta z papieru, ale suknię miała z białego tiulu, a niebieska wstążeczka, spięta na ramieniu, tworzyła szal, ozdobiony złotymi cekinami.

Panienka miała obie ręce wyciągnięte przed siebie, gdyż była tancerką. Jedną nóżkę, wyprostowaną do tyłu, uniosła tak wysoko, że żołnierz nie mógł jej widzieć, więc uznał, iż śliczna panienka, podobnie jak on, ma tylko jedną nogę.

„To byłaby w sam raz żona dla mnie! - pomyślał żołnierz. - Ale jest tak wytworna, mieszka w zamku, a ja mieszkam w pudełku, i to wspólnie z dwudziestoma czterema towarzyszami. Nie jest to miejsce

dla niej! Muszę się jednak z nią zaznajomić!". Potem położył się za tabakierką stojącą na stole; stamtąd mógł dobrze obejrzeć uroczą, maleńką damę, która wciąż, nie tracąc równowagi, stała na jednej nóżce.

Kiedy nadszedł wieczór, żołnierze wrócili do pudełka, a wszyscy ludzie w domu poszli spać. Teraz zabawki zaczęły się bawić w najrozmaitsze zabawy: w „gości", w „wojnę" i w „bal". Żołnierze brzęczeli w pudełku, bo też chcieli się zabawić, ale nie mogli podnieść pokrywki. Dziadek do orzechów zaczął fikać koziołki, rysik bawił się z tabliczką; był taki hałas, że kanarek obudził się i zaczął mówić – i to wierszem. Jedynie ołowiany żołnierz i mała tancerka nie ruszyli się ze swych miejsc – ona stała na palcach jednej nóżki, z rękami wyciągniętymi przed siebie; on stał na jednej nodze i ani na chwilę nie oderwał od niej oczu. Dwunasta godzina wybiła na zegarze i – trach! – odskoczyło wieczko tabakierki, ale w środku nie było tabaki, tylko maleńki diabełek. To była taka sztuczka czarodziejska.

– Żołnierzu! – zawołał diabełek. – Czy nie lepiej zachować oczy dla siebie!

Ale żołnierz udawał, że nie słyszy.

– Porachujemy się jutro – powiedział diabełek.

Nazajutrz rano, kiedy dzieci wstały, postawiono żołnierza na oknie i nie wiadomo, czy diabełek to sprawił, czy przeciąg, dość, że nagle okno otworzyło się i żołnierz spadł głową na dół z trzeciego piętra. Była to straszliwa jazda! Z uniesioną w górę nogą żołnierz stanął na

głowie, a jego bagnet utkwił pomiędzy brukowymi kamieniami. Służąca i chłopiec zaraz zeszli, by go odszukać, ale chociaż o mało na niego nie nadepnęli, nie dostrzegli go. Gdyby żołnierz zawołał: „Tu jestem!", znaleźliby go z pewnością, ale nie uważał za stosowne krzyczeć – był przecież w mundurze.

Zaczął padać deszcz, krople były coraz gęstsze, prawdziwa ulewa! Kiedy przestało padać, przyszło dwóch uliczników.

- Patrz no! - powiedział jeden - tam leży ołowiany żołnierz! Niech się przejedzie łódką.

Zrobili z gazety łódkę, posadzili w niej żołnierza i puścili z biegiem rynsztoka. Obaj chłopcy biegli obok i klaskali w ręce. Na Boga, jakie wielkie fale były w rynsztoku! Papierowa łódka kołysała się w górę i w dół, to znów obracała się w kółko, tak że w żołnierzyku zamierało serce, ale nie pokazał tego po sobie, pozostał niewzruszony, patrzył prosto przed siebie i broń trzymał na ramieniu.

Łódka wpłynęła pod długą kładkę i zrobiło się ciemno jak w pudełku.

„Dokąd płynę? – myślał żołnierz. – Tak, to na pewno przez tego diabełka! Ach, gdyby tu przy mnie w łodzi była ta panienka z zamku, nic bym sobie nie robił z ciemności, nawet dwa razy większych".

Nagle zjawił się olbrzymi szczur wodny, który mieszkał pod kładką rynsztoka.

– Czy masz paszport? – spytał szczur. – Pokaż mi zaraz swój paszport.

Ale żołnierz milczał i tylko mocniej trzymał broń. Łódź pomknęła prędzej, a szczur za nią. Uch! Jakże zgrzytał zębami i jak głośno wołał do płynących słomek i drewienek:

– Trzymać go! Trzymać! Nie zapłacił cła! Nie pokazał swego paszportu!

Ale prąd był coraz silniejszy. Tam, gdzie się kończyła kładka, żołnierz widział już światło dnia. Jednocześnie słyszał jakiś złowrogi szum, który mógłby przerazić najodważniejszego człowieka. Tam, gdzie kończyła się deska, woda z szumem spływała do kanału, co byłoby dla żołnierzyka tak niebezpieczne jak dla nas spłynięcie łodzią do olbrzymiego wodospadu.

Zbliżył się teraz tak bardzo, że nie mógł się już zatrzymać. Łódka rwała naprzód, a biedny żołnierzyk trzymał się sztywno. Nikt nie mógł powiedzieć, że miał strach w oczach. Łódka przechylała się na bok i nabierała po brzegi wody, tak że musiała zatonąć. Żołnierz stał po szyję w wodzie, a łódka zagłębiała się coraz bardziej i bardziej; coraz bardziej rozmiękał papier! Woda zaczęła już zalewać głowę żołnierzowi i wtedy pomyślał o małej, ślicznej tancerce, której nie miał już nigdy zobaczyć, a w uszach zabrzmiały mu słowa:

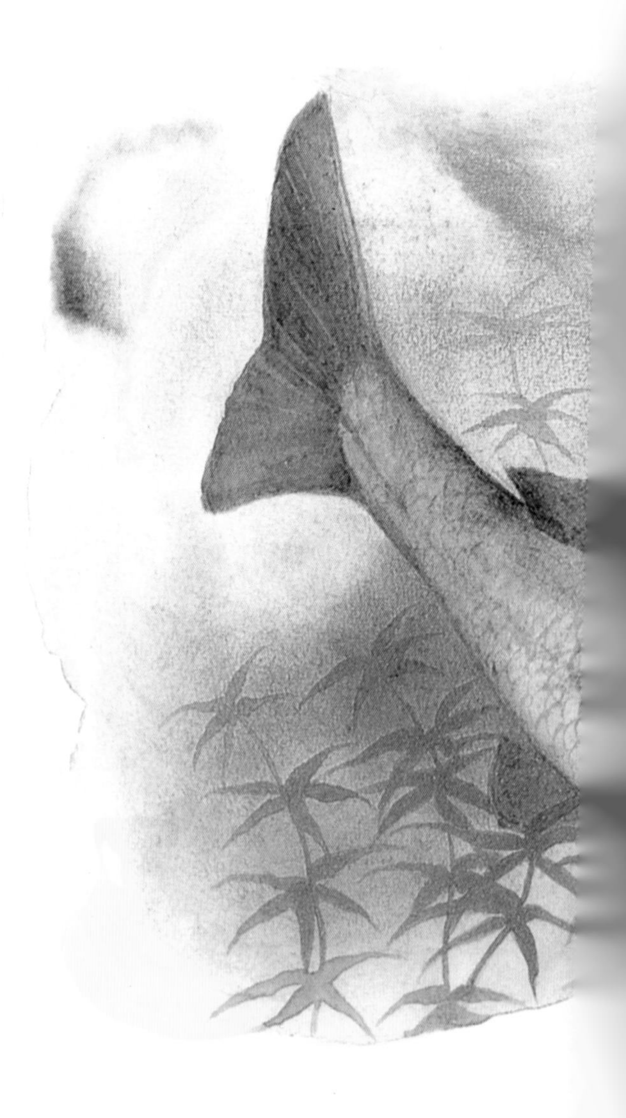

Naprzód, naprzód,
w bój, żołnierzu!
Naprzód, aż do śmierci!

Papier rozpadł się, a żołnierz pogrążył się w wodzie, ale w tej samej chwili połknęła go wielka ryba. Jakże ciemno było w jej wnętrzu! Jeszcze straszniej niż pod kładką rynsztoka! I tak ciasno! Ale żołnierz był niewzruszony – leżał, trzymając broń na ramieniu.

Ryba pływała i robiła najdziwaczniejsze podskoki; wreszcie się uspokoiła. Żołnierzowi wydawało się, że oświetliła go jakaś nagła błyskawica. Stało się zupełnie jasno i ktoś krzyknął głośno: „Ołowiany żołnierz!". Rybę schwytano, sprzedano na targu, wzięto ją do kuchni, gdzie kucharka przekrajała ją dużym nożem. Schwyciła żołnierza w dwa palce i zaniosła do pokoju, gdzie wszyscy chcieli obejrzeć tę dziwną istotę podróżującą w brzuchu ryby, ale żołnierz nie był z tego dumny. Postawiono go na stole i okazało się, że – jakież dziwne rzeczy

zdarzają się na świecie – żołnierz znajdował się w tym samym pokoju, w którym był niegdyś. Widział te same dzieci i te same zabawki stojące na stole: prześliczny zamek z maleńką, uroczą tancerką – stała wciąż jeszcze na jednej nóżce, a drugą wznosiła wysoko w górę. I ona również się nie zmieniła. To właśnie wzruszyło żołnierzyka; o mało co nie

rozpłakał się ołowianymi łzami, ale nie wypadało. Patrzył tylko na nią i ona patrzyła na niego, ale nie mówili nic do siebie.

Wówczas jeden z chłopców schwycił żołnierza i nie mówiąc, dlaczego właściwie to robi, rzucił go wprost do pieca. Była to na pewno wina diabełka z tabakierki.

Żołnierz stał w jasnym blasku płomienia i było mu niesłychanie gorąco, ale nie wiedział, czy pali go zwykły ogień, czy też ogień miłości. Stracił swe kolory, ale czy stało się to w czasie wędrówki, czy też z powodu zmartwienia – tego nikt nie mógł powiedzieć.

Patrzył na maleńką panienkę i ona patrzyła na niego. Czuł, że topnieje, lecz wciąż jeszcze stał dzielnie, trzymając broń na ramieniu.

Nagle ktoś otworzył drzwi, wiatr porwał małą tancerkę i pofrunęła jak sylfida wprost do pieca, do ołowianego żołnierza, błysnęła płomie-

niem i już było po niej. A żołnierz roztopił się na bezkształtną masę i kiedy nazajutrz służąca wygarniała popiół, znalazła go w postaci maleńkiego, ołowianego serduszka. Z tancerki zaś pozostały jedynie cekinki, a i te poczerniały na węgiel.

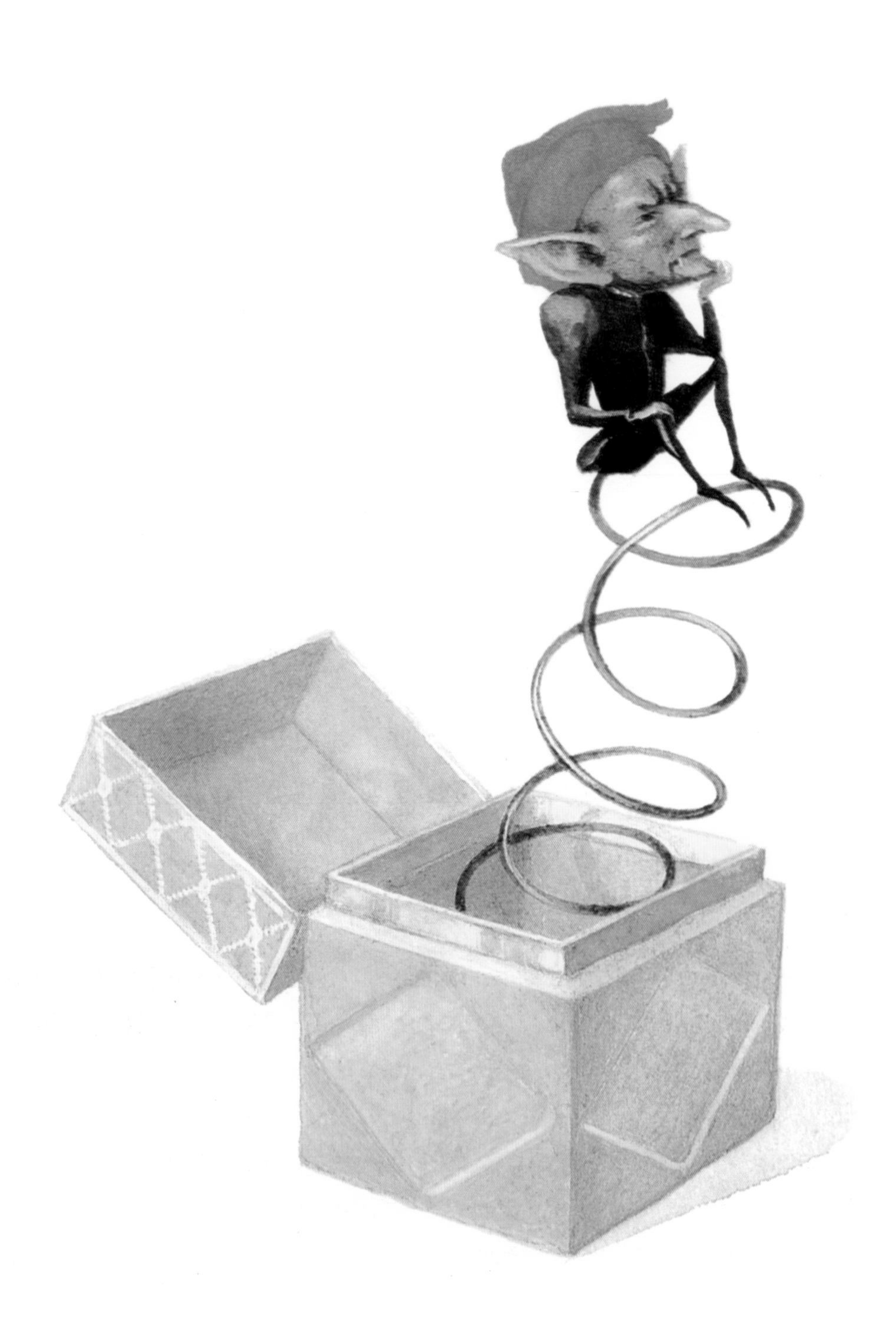

Dziewczynka z zapałkami

Było bardzo zimno, śnieg padał i zaczynało się już ściemniać. Był to ostatni dzień w roku, wigilia Nowego Roku. W tym chłodzie i w tej ciemności szła ulicami biedna dziewczynka z gołą głową i boso. Miała wprawdzie trzewiki na nogach, kiedy wychodziła z domu, ale co to znaczyło! To były bardzo duże trzewiki, nawet jej matka ostatnio je wkładała, tak były duże, i mała zgubiła je zaraz, przebiegając ulicę, którą pędem przejeżdżały dwa wozy. Jednego

trzewika nie mogła wcale znaleźć, a z drugim uciekł jakiś urwis; wołał, że przyda mu się on na kołyskę, kiedy już będzie miał dziecko.

Szła więc dziewczynka boso, stąpała nóżkami, które poczerwieniały i zsiniały z zimna. W starym fartuchu niosła zawiniętą całą masę

zapałek, a jedną wiązkę trzymała w ręku. Przez cały dzień nie sprzedała ani jednej; nikt jej nie dał przez cały dzień ani grosika! Szła taka głodna i zmarznięta, i była taka smutna, biedactwo! Płatki śniegu padały na jej długie, jasne włosy, które tak pięknie zwijały się na karku, ale ona nie myślała wcale o tej ozdobie. Ze wszystkich okien naokoło połyskiwały światła i tak miło pachniało na ulicy pieczonymi gęśmi.

„To przecież jest wigilia Nowego Roku" – pomyślała dziewczynka. W kącie między dwoma domami, z których jeden bardziej wysuwał się na ulicę, usiadła i skurczyła się cała. Małe nożyny podciągnęła pod siebie, ale marzła coraz bardziej, a w domu nie mogła się pokazać,

bo przecież nie sprzedała ani jednej zapałki, nie dostała ani grosza, ojciec by ją zbił. Zresztą w domu było tak samo zimno, mieszkali na strychu pod samym dachem i wiatr hulał po izbie, chociaż największe szpary w dachu zatkane były słomą i gałganami. Jej małe ręce prawie całkiem zamarzły z tego chłodu. Ach, jedna mała zapałka, jak by to dobrze było! Żeby tak wyciągnąć jedną zapałkę z wiązki, potrzeć ją o ścianę i tylko ogrzać paluszki!

Wyciągnęła jedną i – trzask! – jak się iskrzy, jak płonie! Mały, ciepły, jasny płomyczek, niby mała świeczka otoczona dłońmi! Dziwna to była świeca: dziewczynce zdawało się, że siedzi przed wielkim, żelaznym pie-

cem o mosiężnych drzwiczkach i ozdobach; ogień palił się w nim tak łaskawie i grzał tak przyjemnie; ach, jakież to było rozkoszne! Dziewczynka wyciągnęła przed siebie nóżki, aby je rozgrzać także - a tu płomień zgasł. Piec znikł - a ona siedziała z niedopałkiem siarnika w dłoni.

Zapaliła nowy, palił się i błyszczał, a gdzie cień padł na ścianę, stała się ona przejrzysta jak muślin: ujrzała wnętrze pokoju, gdzie stał stół przykryty białym, błyszczącym obrusem, nakryty piękną porcelaną, a na półmisku smacznie dymiła pieczona gęś, nadziana śliwkami i jabłkami; a co jeszcze było wspanialsze, gęś zeskoczyła z półmiska i zaczęła się czołgać po podłodze, z widelcem i nożem wbitym w grzbiet; doczołgała się aż do biednej dziewczynki, aż tu nagle zgasła zapałka i widać tylko było nieprzejrzystą, zimną ścianę.

Zapaliła nowy siarnik. I oto siedziała pod najpiękniejszą choinką; była ona jeszcze wspanialsza i piękniej ubrana niż choinka u bogatego kupca, którą ujrzała przez szklane drzwi podczas ostatnich świąt -

tysiące świeczek płonęło na zielonych gałęziach, a kolorowe obrazki, takie, jakie zdobiły okna sklepów, spozierały ku niej. Dziewczynka wyciągnęła do nich obie rączki, ale tu zgasła zapałka. Mnóstwo światełek

łek choinki wzniosło się ku górze, coraz wyżej i wyżej, i oto ujrzała ona, że były to tylko jasne gwiazdy, a jedna z nich spadła właśnie i zakreśliła na niebie długi, błyszczący ślad.

– Ktoś umarł! – powiedziała malutka, gdyż jej stara babka, która jedyna okazywała jej serce, ale już umarła, powiadała zawsze, że kiedy gwiazdka spada, dusza ludzka wstępuje do Boga.

Dziewczynka znowu potarła siarnikiem o ścianę, zajaśniało dookoła i w tym blasku stanęła przed nią stara babunia, taka łagodna, taka jasna, taka błyszcząca i taka kochana.

– Babuniu! – zawołała dziewczynka. – Och, zabierz mnie z sobą! Kiedy zapałka zgaśnie, znikniesz jak ciepły piec, jak gąska pieczona

i jak wspaniała olbrzymia choinka! – I szybko potarła wszystkie zapałki, jakie zostały w wiązce, bo chciała jak najdłużej zatrzymać przy sobie babkę, i zapałki zabłysły takim blaskiem, iż stało się jaśniej niż za dnia. Babunia nigdy przedtem nie była taka piękna i taka wielka; chwyciła dziewczynkę w ramiona i poleciały w blasku i w radości

wysoko, wysoko. A tam już nie było ani chłodu, ani głodu, ani strachu - były bowiem u Boga.

A kiedy nastał zimny ranek, w kąciku przy domu siedziała dziewczynka z czerwonymi policzkami, z uśmiechem na twarzy - nieżywa: zamarzła na śmierć ostatniego wieczora minionego roku. Ranek noworoczny oświetlił martwą postać trzymającą w ręku zapałki,

z których garść była spalona. Chciała się ogrzać, powiadano, ale nikt nie miał pojęcia o tym, jak piękne rzeczy widziała dziewczynka i w jakim blasku wstąpiła ona razem ze starą babką w szczęśliwość Nowego Roku.

Mała syrena

Daleko na morzu woda jest tak błękitna jak najpiękniejsze bławatki i tak przezroczysta jak najczystsze szkło, ale jest bardzo głęboka, tak głęboka, że trzeba by ustawić wiele wież kościelnych jedne na drugich, aby sięgnęły od dna aż ponad wodę. Tam na dole rosną najpiękniejsze drzewa i krzewy o łodygach i liściach tak giętkich, że poruszają się przy najlżejszym ruchu wody. Wszystkie ryby małe i duże przemykają pomiędzy gałęziami jak ptaki w powietrzu. W najgłębszym miejscu stoi zamek króla mórz. Mury zamku są z koralu, wysokie okna z najczystszego bursztynu. Król mórz, żyjący tam na dole, był od wielu lat wdowcem, gospodarstwem zajmowała się jego stara matka. Była to mądra kobieta, dumna ze swego pochodzenia,

i dlatego nosiła w ogonie dwanaście ostryg, gdy inne wykwintne damy mogły nosić tylko sześć. Babka kochała bardzo swoje wnuczki, a miała ich sześć. Wszystkie księżniczki były ładne, jednak najmłodsza była najładniejsza. Cerę miała tak przezroczystą i delikatną jak płatek róży, oczy tak błękitne jak najgłębsze morze, ale tak samo jak inne syreny nie miała nóg, jej ciało kończyło się rybim ogonem.

Przez cały dzień dzieci mogły się bawić w zamku, gdzie żywe kwiaty wyrastały wszędzie ze ścian i gdzie do otwartych bursztynowych

okien podpływały ryby, jadły z rąk małych księżniczek i dawały się im głaskać.

Przed zamkiem był duży ogród z płomiennoczerwonymi i ciemnobłękitnymi drzewami, owoce błyszczały jak złoto, a kwiaty jak płonący ogień. Nad wszystkim zaś unosił się cudowny, błękitny blask. Kiedy nie wiał wiatr, przez wodę widać było słońce; wyglądało ono jak purpurowy kwiat, z którego kielicha lało się światło.

Każda z księżniczek miała w ogrodzie własną grządkę, którą mogła urządzić sobie tak, jak chciała. Najmłodsza skopała swoją grządkę, nadając jej kształt tarczy słonecznej i zasadziła wyłącznie czerwone kwiaty, rozsiewające czerwonawy blask podobny do blasku słońca. Oprócz tych kwiatów ozdobiła swój klomb tylko jedną rzeźbą, która spadła na dno morza z zatopionego statku. Był to wykonany z białego marmuru posąg pięknego chłopca. Obok posągu syrenka zasadziła

czerwoną wierzbę płaczącą, która rosła pięknie i zwieszała swoje giętkie gałęzie aż do piaszczystego dna, gdzie cień zdawał się fioletowy i kołysał się bezustannie, tak samo jak gałęzie.

Najmłodsza z księżniczek była dziwnym dzieckiem, cichym i zamyślonym. Jej największą radością były rozmowy o świecie ludzi. Stara babka musiała wszystko opowiadać, co wiedziała o statkach i miastach, ludziach i zwierzętach. Syrence wydawało się to cudownie piękne, że tam, na ziemi, pachną kwiaty - na dnie morza one nie pachniały - i że lasy są zielone, i że ryby, które przepływają tu pomiędzy drzewami, tam głośno i pięknie śpiewają; oczywiście babka miała na myśli ptaki, ale nazywała je rybami, bo księżniczki inaczej nie zrozumiałyby, nie widziały przecież nigdy żadnego ptaka.

- Kiedy skończycie piętnaście lat - powiedziała babka - pozwolę wam wynurzyć się z morza. Będziecie mogły usiąść na skałach i patrzeć przy blasku księżyca na przepływające statki, zobaczycie też nadbrzeżne lasy i miasta.

Następnego roku najstarsza siostra kończyła piętnaście lat, a ponieważ każda z sióstr była o rok młodsza od poprzedniej, najmłodsza miała przed sobą jeszcze całe pięć lat do czasu, kiedy będzie mogła wypłynąć na powierzchnię i zobaczyć świat.

Żadna z sióstr nie była tak niecierpliwa jak najmłodsza, ta właśnie, która była taka cicha i zamyślona. Często stawała w nocy przy otwartym oknie i patrzyła w górę poprzez ciemnobłękitne morze. Księżyc i gwiazdy połyskiwały wprawdzie bardzo słabo, ale poprzez wodę wydawały się blade i o wiele większe. Gdy prześlizgiwała się pod nimi

czarna chmura, syrena wiedziała, że jest to albo wieloryb, albo statek z wieloma ludźmi.

Wreszcie najstarsza księżniczka skończyła piętnaście lat i mogła wypłynąć na powierzchnię. Po powrocie opowiadała o wielu, wielu rzeczach, ale przeżyciem najpiękniejszym było to, że mogła leżeć w blasku księżyca na piaszczystym brzegu zatoki, w pobliżu wielkiego miasta, gdzie światła błyszczą jak tysiące gwiazd, słuchać muzyki, gwaru ludzi, patrzeć na wieże kościołów, słuchać, jak biją dzwony.

W rok potem druga siostra wynurzyła się na powierzchnię. Wypłynęła właśnie wtedy, kiedy zachodziło słońce, i tę chwilę uważała za najpiękniejszą, gdyż całe niebo połyskiwało niczym złoto.

Minął rok i trzecia siostra udała się na górę. Odważniejsza, popłynęła aż do wielkiej rzeki wpadającej do morza. Widziała śliczne, zielone pagórki okryte winnicami, zamki, dwory wśród wspaniałych lasów. W małej zatoczce spotkała całą gromadę ślicznych dzieci. Bawiły się, pluskały w wodzie i pływały, chociaż nie miały rybiego ogona.

Czwarta siostra mówiła, że najpiękniej jest na pełnym morzu, gdzie niebo rozpościera się jak wielki szklany dzwon, delfiny fikają koziołki, a olbrzymie wieloryby parskają strumieniami wody przez nos niczym fontanny.

Kiedy przyszła kolej na piątą siostrę, była właśnie zima. Morze było zupełnie zielone, naokoło pływały góry lodowe, więc usiadła na największej z nich, a wiatr bawił się jej długimi włosami. Każda z sióstr, wynurzając się na powierzchnię morza po raz pierwszy, zachwycała się nowością

i pięknem świata, ale teraz jako dorosłe dziewczyny mogły wypływać na morze, kiedy chciały, więc to, co nowe, zobojętniało im. Po upływie miesiąca tęskniły za domem i mówiły, że u nich, na dole, jest najpiękniej i najlepiej.

Tylko najmłodsza księżniczka nadal tęskniła do świata ludzi i chłonęła opowieści o nim, a kiedy wieczorem siostry wypływały na powierzchnię morza, ona zostawała zaś sama, czuła, że zbiera się jej na płacz, ale syreny nie znają łez i dlatego o wiele bardziej cierpią.

Aż wreszcie nadszedł dzień jej piętnastych urodzin.

– Chodź, przyozdobię cię tak jak twoje siostry – powiedziała babka i włożyła jej na włosy wianek z białych lilii, a każdy płatek kwiatu był połową perły, potem przymocowała księżniczce do ogona osiem dużych ostryg na znak jej wysokiego pochodzenia.

– To boli – powiedziała syrenka.

- Trzeba cierpieć, aby godnie wyglądać - odparła babka.

W chwili kiedy syrenka wynurzyła głowę nad wodę, słońce zaszło, ale chmury połyskiwały jeszcze złotem, a w różowym powietrzu błyszczała wieczorna gwiazda. Morze było spokojne. W pobliżu cumował wielki statek o trzech masztach. Z pokładu dobiegała muzyka i śpiew, a w miarę jak się ściemniało, zapalono mnóstwo kolorowych latarni. Syrenka podpłynęła tuż do okna kajuty i za każdym razem, kiedy woda podnosiła ją do góry, mogła zajrzeć do wnętrza, gdzie przebywało wiele pięknie ubranych ludzi. Ale najbardziej urodziwy był młody książę o dużych, czarnych oczach. Na pewno nie miał więcej niż szesnaście lat, i to właśnie jego urodziny obchodzono tak hucznie. Kiedy młody książę wyszedł na pokład, w niebo wystrzeliły niezliczone rakiety i nagle zrobiło się jasno jak w dzień. Syrenka przestraszyła się i schowała pod wodę, ale zaraz znowu wysunęła głowę. Na statku wszystko stało się doskonale widoczne. Jak pięknie uśmiechał się młody książę, dziękując gościom uściskiem dłoni!

Było już późno, ale księżniczka nie mogła oderwać oczu od statku i od pięknego księcia. W końcu zgaszono kolorowe latarnie i statek ruszył w drogę.

W głębi morza coś szumiało i grzmiało, fale stawały się coraz silniejsze, nadciągały ciężkie chmury, w oddali błyskało. Zanosiło się na

wielką burzę. Marynarze zwinęli żagle. Statek kołysał się, szybował po rozhukanym morzu, zanurzał się między wysokie bałwany i znowu wypływał na powierzchnię spiętrzonej wody. Syrenę bawił ten widok, ale żeglarze czuli zapewne inaczej. Statek trzeszczał i jęczał, grube belki gięły się pod ciężkimi uderzeniami fal, maszt przełamał się pośrodku jak trzcina, statek przechylił się na bok i woda zaczęła zalewać wnętrze. Dopiero teraz syrenka dostrzegła, że ludzie byli w niebezpieczeństwie. Zrobiło się ciemno, a kiedy po chwili błyskawica

rozjaśniła niebo, rozejrzała się wokół, szukając księcia. Statek zaczął już tonąć, coraz bardziej pogrążał się w głębokiej wodzie. W pierwszej chwili ucieszyła się bardzo, że książę trafi w ten sposób do niej, ale potem przyszło jej na myśl, że przecież ludzie nie mogą żyć w wodzie i że książę dostanie się na zamek jej ojca martwy.

„Nie, on nie może umrzeć" - pomyślała. Popłynęła między belkami i deskami unoszącymi się na wodzie, zapominając zupełnie, że mogą ją zmiażdżyć, zanurzała się głęboko i wznosiła znowu na falach.

W końcu udało się jej dotrzeć do młodego księcia, który nie mógł już utrzymać się na wzburzonym morzu. Ręce i nogi zaczynały mu omdlewać, piękne oczy zamknęły się i pewnie by zginął, gdyby syrenka nie podtrzymywała jego głowy nad wodą, a potem zdała się na unoszące ich fale.

Nad ranem burza przeszła; słońce wzeszło czerwone i jarzące. Wydawało się przy jego świetle, że policzki księcia nabierają życia, ale jego oczy pozostały zamknięte. Syrenka ucałowała wysokie, piękne czoło i odgarnęła mokre włosy chłopca. Wydawał jej się podobny do ulubionego marmurowego posągu z ogródka. Pocałowała chłopca jeszcze raz, życząc mu, aby odzyskał przytomność.

Nagle zobaczyła przed sobą stały ląd. Wzdłuż wybrzeża ciągnęły się zielone lasy, a wśród nich stał okazały gmach – zamek czy też klasztor. W otaczającym go ogrodzie rosły cytrynowe i pomarańczowe drzewa. Morze tworzyło tu małą, cichą zatokę, która błyszczała jak zwierciadło. Syrenka przypłynęła tutaj, holując księcia i ułożyła go na brzegu w ciepłym blasku słońca tak, aby głowa była wyżej. Sama zaś odpłynęła za wysokie kamienie wystające z wody, okryła swe włosy i piersi morską pianą, aby nikt jej nie zauważył, i patrzyła uważnie, kto znajdzie nieprzytomnego księcia.

Wkrótce pojawiła się jakaś młoda dziewczyna. Z początku wydawała się przerażona, ale po chwili sprowadziła ludzi i syrenka zobaczyła, że książę wraca do życia i uśmiecha się do wszystkich dookoła – tylko do niej nie uśmiechnął się, bo nie wiedział, że to ona go uratowała. Kiedy księcia wprowadzono do gmachu, zmartwiona zanurzyła się w wodę i wróciła do zamku swego ojca.

Zawsze cicha i zamyślona, stała się teraz jeszcze cichsza. Siostry pytały ją, co zobaczyła podczas swego pierwszego pobytu na powierzchni morza, ale ona milczała.

Często wieczorem lub rano płynęła do tego miejsca, gdzie zostawiła księcia, ale nigdy go nie zobaczyła, i wracała do domu coraz bardziej smutna. Jej jedyną pociechą było przebywanie w ogródku w pobliżu marmurowego posągu, który przypominał jej księcia.

Nie mogła już dłużej taić swego smutku i opowiedziała o wszystkim

swoim siostrom, one zaś powierzyły tę tajemnicę tylko swoim najlepszym przyjaciółkom. Jedna z syren, jak się okazało, wiedziała już sporo o księciu: skąd pochodzi i gdzie leży jego królestwo.

– Pójdź, siostrzyczko! – powiedziały księżniczki i objąwszy się wypłynęły sznurem na powierzchnię morza w tym miejscu, gdzie wiedziały, że stoi zamek księcia.

Szerokie, marmurowe schody zamkowe prowadziły do samego morza. Wspaniałe, złocone kopuły wieńczyły dach, a pomiędzy kolumnami, otaczającymi cały budynek, stały marmurowe posągi. Przez wysokie okna widać było wspaniałe komnaty, pośrodku największej sali pluskała duża fontanna.

Najmłodsza księżniczka wiedziała już zatem, gdzie książę mieszka. Często teraz przypływała do brzegu – o wiele bliżej, niż mogłaby się odważyć każda inna syrena. Wąskim kanałem płynęła aż do wspaniałego, marmurowego tarasu, rzucającego długi cień na wodę. Siedziała tu i patrzyła na młodego księcia, któremu się zdawało, że jest zupełnie sam w jasnym blasku księżyca.

Nieraz wieczorem widywała go, jak płynął przy dźwiękach muzyki w udekorowanej łodzi. Słyszała też czasem, jak rybacy, łowiąc na morzu przy świetle pochodni, opowiadali wiele dobrego o księciu, a wtedy cieszyła się, że uratowała mu życie. Przypominała sobie, jak ciężko jego głowa spoczywała na jej piersiach i jak serdecznie go pocałowała. On jednak nic o tym nie wiedział i nie mógł nawet marzyć o niej.

Coraz bardziej lgnęła do ludzi, coraz silniej pragnęła przebywać między nimi. Było tyle spraw, o których chciała się czegoś dowiedzieć, i dlatego zarzucała pytaniami babkę, która znała bardzo dobrze Ponadmorski Kraj, jak go nazywała.

– Czy ludzie, którzy nie toną w morzu – spytała syrenka – mogą żyć wiecznie, nie umierają, tak jak my, na dnie morskim?

– Gdzież tam – odparła babka. – Ludzie też umierają, ich życie trwa jeszcze krócej niż nasze. My możemy

dożyć trzystu lat, a kiedy kończymy życie, zmieniamy się w pianę morską. Nie mamy nieśmiertelnej duszy, nie możemy się odrodzić. Jesteśmy jak sitowie: kiedy się je raz zerwie, nigdy nie będzie już zielone. Ludzie zaś mają duszę, która żyje wiecznie, żyje nawet wtedy, gdy ciało staje się prochem, wznosi się poprzez jasne przestworza aż do błyszczących gwiazd.

– Dlaczego my nie mamy nieśmiertelnej duszy? – spytała zmartwiona księżniczka. – Dlaczego mam po śmierci być tylko pianą morską unoszoną przez fale? Czy nic nie mogę uczynić, żeby zdobyć nieśmiertelną duszę?

– Nie możesz – powiedziała babka. – Chyba że jakiś człowiek pokocha cię tak, że staniesz mu się droższa od ojca i od matki, i kiedy ksiądz zwiąże wasze ręce przysięgą wierności na ziemi i na całą wieczność, wtedy on obdarzy cię duszą, nie tracąc jednak własnej. Ale to się nigdy nie zdarza. Twoj rybi ogon, w morzu taki ładny, na ziemi uznają za coś szpetnego. Tam, żeby być piękną, trzeba mieć dwie ciężkie podpory, które ludzie nazywają nogami.

Syrenka westchnęła i ze smutkiem spojrzała na swój ogon.

– Nie martw się! – powiedziała babka. – Bawmy się i tańczmy przez te trzysta lat, które żyjemy. Dziś wieczorem odbędzie się na naszym dworze bal.

Zabawa była naprawdę wspaniała! Przez szklane ściany sali balowej widać było niezliczone ryby, małe i duże, na niektórych połyskiwały purpurowe łuski, inne wyglądały jak zrobione ze srebra i złota. Pośrodku sali przepływał szeroki, rwący strumień, a na nim syreny i trytony tańczyły przy dźwiękach własnego słodkiego śpiewu. Ludzie na ziemi

nie mają tak pięknego głosu. Syrenka śpiewała najpiękniej i wszyscy oklaskiwali jej śpiew. Przez chwilę poczuła radość w sercu, ale zaraz znowu zaczęła myśleć o pięknym księciu i smutno jej było, że nie ma, tak jak on, nieśmiertelnej duszy. Po cichu wymknęła się z ojcowskiego zamku do swojego małego ogródka.

Nagle usłyszała dochodzący przez wodę dźwięk myśliwskiego rogu i pomyślała: „Tam w górze płynie ten, którego kocham więcej niż ojca i matkę, ten, komu bym chciała powierzyć swoje szczęście i życie. Odważę się na wszystko, by zdobyć nieśmiertelną duszę. Pójdę do czarownicy morza, której się tak zawsze bałam, bo tylko ona może mi pomóc!".

I nie mówiąc nikomu o swoich zamiarach, popłynęła w stronę kipiącego wiru, za którym mieszkała czarownica. Nigdy jeszcze nie szła tą

drogą; nie rosły tu kwiaty ani morska trawa, dno pokrywał goły, szary piasek. Aby dostać się do państwa czarownicy, musiała przejść przez rwące wiry, potem przez bulgocący gorący szlam, a dalej przez przerażający las, w którym drzewa i krzaki były odrażającymi polipami. Ich długie, lepkie ramiona, o palcach jak giętkie robaki, bezustannie się poruszały.

Każdy z tych potworów trzymał coś w swych kłębiących się splotach, ściskając zdobycz jak żelazna obręcz: białe szkielety ludzi, którzy zginęli na morzu, potrzaskane wiosła i osprzęt statków, kości domowych zwierząt. Syrenka zatrzymała się przerażona. Polipy już wyciągały chciwie swoje macki, ale ona poderwała się błyskawicznie i śmignęła przed siebie, tak jak tylko ryba potrafi mknąć przez wodę.

W końcu dotarła do dużego błotnistego miejsca, gdzie kłębiły się wiel-

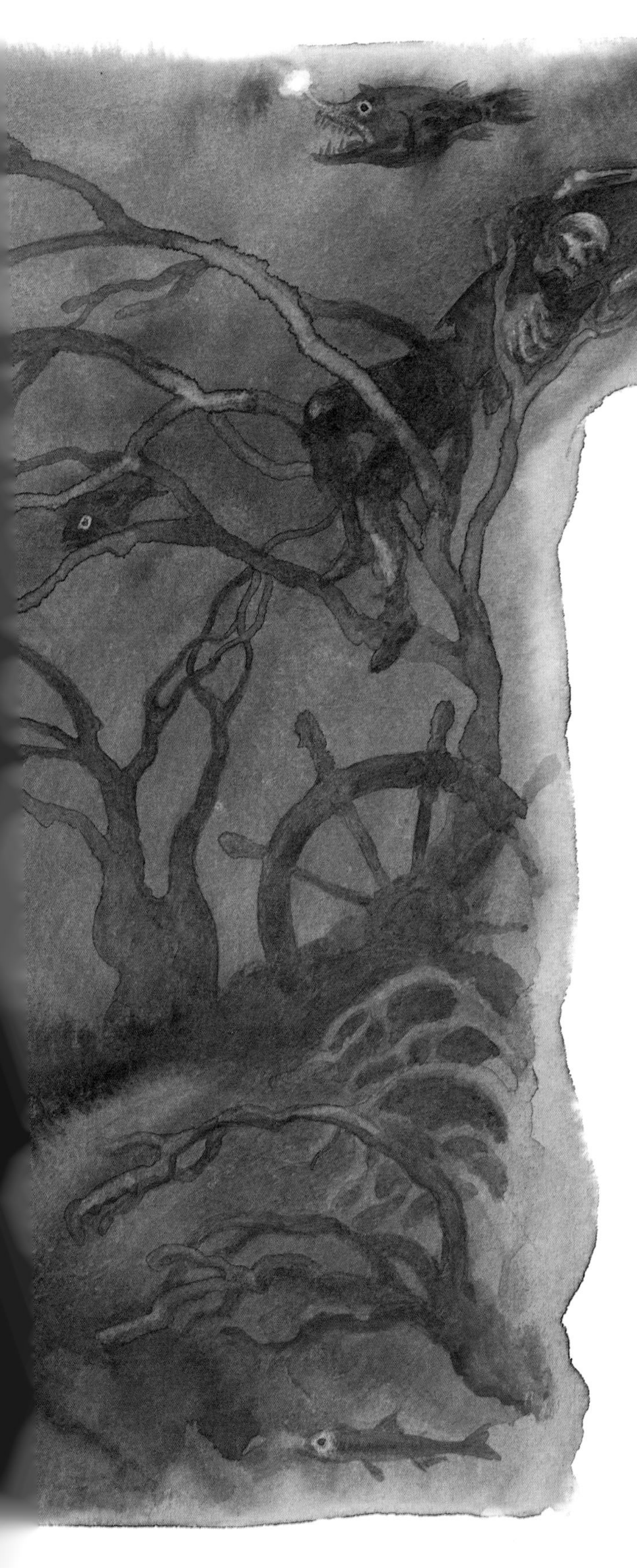

kie, tłuste węże morskie. Pośrodku tego placu stał dom zbudowany z kości topielców.

– Wiem dobrze, czego chcesz! – powiedziała czarownica. – To głupie z twojej strony, bo doprowadzi cię do nieszczęścia. Zrobię jednak, co chcesz, piękna księżniczko. Chciałabyś się pozbyć rybiego ogona i zamiast niego mieć dwie podpory, na których mogłabyś chodzić jak ludzie. Chcesz, żeby książę się w tobie zakochał, chcesz mieć jego nieśmiertelną duszę. – Zaśmiała się głośno i wstrętnie, po czym dodała: – Przychodzisz w samą porę. Gdybyś przyszła jutro po wschodzie słońca, nie mogłabym ci dopomóc przed upływem roku. Przygotuję ci napój. Musisz zabrać go i popłynąć, zanim słońce wzejdzie, aż na ląd, usiąść na brzegu i wypić go. Wtedy odpadnie ci ogon i skurczy się w to, co ludzie nazywają pięknymi nóżkami, ale to będzie bolało tak, jakby przeszył cię ostry miecz. Zachowasz swój zwiewny chód, żadna tancerka nie potrafi tak się kołysać jak ty, ale przy każdym kroku będziesz czuła ból, jakbyś stąpała po ostrzu noża. Jeżeli zgodzisz się to wszystko znieść, spełnię twoje życzenie.

– Tak – odpowiedziała mała syrena drżącym głosem i pomyślała o księciu i o nieśmiertelności duszy.

– Zastanów się – powiedziała czarownica. – Kiedy przybierzesz ludzką postać, nigdy już nie będziesz mogła zamienić się z powrotem w syrenę i nigdy nie będziesz mogła popłynąć do zamku twego ojca. A jeżeli nie zdobędziesz miłości księcia, jeżeli ksiądz nie połączy waszych rąk tak, abyście się stali mężem i żoną, nie otrzymasz nieśmiertelnej duszy. Pierwszego ranka po zaślubinach księcia z inną pęknie ci serce i zamienisz się w pianę morską.

– Tak chcę – powiedziała mała syrena, blednąc.

– Ale mnie musisz także zapłacić! – powiedziała czarownica. – Masz najpiękniejszy głos ze wszyst-

kich żyjących tu stworzeń. Mogłabyś oczarować nim księcia, ale oddasz mi swój głos za drogocenny napój, do którego muszę dodać własnej krwi, żeby był ostry jak obosieczny miecz.

– Cóż mi pozostanie, gdy mi odbierzesz głos? – spytała syrenka.

– Twoja piękna postać – odparła czarownica – twój zwiewny chód i oczy, którymi możesz oczarować ludzkie serce. I co, odeszła ci odwaga? Wysuń języczek, obetnę ci go jako zapłatę za czarodziejski napój.

– Niech się stanie – powiedziała syrenka.

Czarownica postawiła kocioł, wyszorowała go wężami, które związała w kłębek, a potem zadrasnęła się w pierś, z której spadło parę kropel czarnej krwi. Dorzucając co chwila coś nowego do kotła, pilnowała, żeby płyn dobrze się gotował. Wreszcie napój, wyglądający jak najczystsza woda, był gotów.

– Oto go masz! – zwróciła się czarownica do syrenki i szybkim ruchem obcięła jej język.

Z tą chwilą syrenia księżniczka straciła mowę, nie mogła ani śpiewać, ani mówić.

Unosząc ze sobą butelkę z napojem, prędko przepłynęła przez las, przez bagno i przez rwące wiry. Kiedy mijała zamek swojego ojca, zobaczyła, że pogaszono już światła w wielkiej sali tańca. Pewnie wszyscy spali, ale nie odważyła się tam pójść teraz, kiedy była niema i kiedy miała ich na zawsze porzucić.

Słońce jeszcze nie wzeszło, kiedy ujrzała zamek księcia i wdrapała się na wspaniałe, marmurowe schody. Wypiła palący napój i poczuła ból, jakby obosieczny miecz przeszył jej delikatne ciało. Zemdlała i leżała jak martwa. Kiedy słońce rozbłysło nad wodą, ocknęła się i znowu poczuła piekący ból, ale właśnie w tej chwili stanął przed nią piękny, młody książę i zaczął tak wpatrywać się w nią swymi czarnymi jak węgiel oczyma, że musiała opuścić wzrok. Wtedy zobaczyła, że jej rybi ogon znikł i że ma śliczne, zgrabne nogi młodziutkiej dziewczyny.

Ale była zupełnie naga, więc otuliła się swoimi długimi, gęstymi włosami.

Książę spytał ją, kim jest i skąd się tu wzięła, lecz ona tylko spojrzała na niego ciemnoniebieskimi oczami, gdyż mówić przecież nie mogła. Wtedy wziął ją za rękę i zaprowadził do zamku. Przy każdym kroku, jak przepowiedziała czarownica, czuła ból, jakby chodziła po czubkach igieł i ostrzach noży, ale znosiła to dzielnie. Trzymając księcia za rękę, stąpała tak lekko, że wszyscy podziwiali jej piękny, płynny chód.

Ubrano ją w kosztowne suknie i stała się najpiękniejszą dziewczyną na zamku, ale była niema, nie mogła śpiewać ani mówić. Piękne niewolnice zaczęły śpiewać i tańczyć przed księciem, kołysząc się w takt cichej muzyki, a kiedy skończyły swój występ, syrenka wyciągnęła w górę ramiona, stanęła na palcach i rozpoczęła taniec. Tańczyła zaś tak pięknie jak żadna z występujących baletnic. Jej uroda przy każdym ruchu stawała się coraz bardziej widoczna, a jej oczy przemawiały do serc wymowniej niż śpiew niewolnic.

Książę był zachwycony i nazwał ją swoim znalezionym skarbem. Powiedział też, że musi pozostać przy nim na zawsze i sypiać pod drzwia-

mi jego komnaty na aksamitnych poduszkach. Kazał uszyć dla niej męskie ubranie, aby mogła mu towarzyszyć w konnych wycieczkach. Jeździli przez pachnące lasy, wdrapywali się na wysokie góry i chociaż jej delikatne nóżki krwawiły, co wszyscy widzieli, śmiała się i biegała wszędzie za nim. Dopiero nocą, kiedy wszyscy spali, wychodziła na prowadzące do morza marmurowe schody, chłodziła rozpalone stopy w zimnej morskiej wodzie i myślała o swoich bliskich, żyjących w głębi morza.

Pewnej nocy wynurzyły się z wody jej siostry i trzymając się za ręce, smutnie śpiewały. Opowiedziały też, jak bardzo wszyscy za nią tęsknią. Odtąd odwiedzały ją codziennie, a jednej nocy zobaczyła z daleka babkę i króla mórz w koronie na głowie. Wyciągali do niej ręce, ale nie odważyli się podpłynąć blisko lądu jak siostry.

Z dnia na dzień książę coraz bardziej lubił syrenkę, w końcu pokochał ją tak, jak się kocha najmilsze dziecko, ale nie przychodziło mu wcale na myśl uczynić z niej królową, a przecież aby zdobyć nieśmiertelną duszę, powinna zostać jego żoną, gdyż jeśli poślubi inną – ona stanie się pianą morską...

„Czyż nie kochasz mnie najbardziej?" – zdawały się mówić oczy syrenki, kiedy brał ją w ramiona i całował w czoło.

– Jesteś mi najdroższa – mówił książę – bo jesteś podobna do pewnej młodej dziewczyny, którą kiedyś widziałem, ale której pewnie już nigdy nie zobaczę. Byłem na tonącym statku i fale wyrzuciły mnie na brzeg, przed świątynię, gdzie wiele dziewcząt służy Bogu; najmłodsza znalazła mnie na brzegu i uratowała mi życie. Jest to jedyna istota na tym świecie, którą mógłbym pokochać, ale ona jest poświęcona Bogu. Jesteś do niej podobna i dlatego nie rozłączymy się nigdy.

„Ach, on nie wie, że to ja uratowałam mu życie. Widziałam tę dziewczynę, którą kocha bardziej ode mnie – westchnęła syrenka, ale po chwili pocieszyła się: – Tamta dziewczyna nigdy nie wróci do świata, a ja jestem przy nim, widzę go codziennie, będę go kochała, poświęcę mu swoje życie!”.

Lecz oto rozeszła się wieść, że książę ma się żenić z piękną córką władcy pobliskiego królestwa. Wspaniale wyposażony statek miał go zawieźć do pięknej księżniczki.

– Muszę tam pojechać – powiedział syrence. – Moi rodzice tego pragną, ale ja nie mogę jej kochać, bo na pewno nie przypomina tamtej dziewczyny ze świątyni. To ty jesteś do niej podobna. Gdybym miał się ożenić, wybrałbym raczej ciebie, mój ty znaleziony skarbie.

Całował czerwone usta i kładł głowę na sercu syrenki, które marzyło o ludzkim szczęściu i nieśmiertelnej duszy.

– Nie boisz się przecież wody, mój milczący skarbie, prawda? – spytał książę, kiedy stali na pokładzie statku, i dalej opowiadał jej o burzy i o ciszy morskiej, o dziwnych rybach w głębinach morza, ona zaś uśmiechała się, bo wiedziała przecież lepiej, jak wygląda dno morza.

W jasną księżycową noc, kiedy wszyscy spali, usiadła na dziobie statku i patrzyła w dal, myśląc o ojcu, o starej babce i ukochanych siostrach.

Następnego ranka statek wpłynął do portu zaprzyjaźnionego królestwa. Księcia przyjęto z pełnym przepychu ceremoniałem – co dzień wydawano jakiś bal lub przyjęcie, ale księżniczki wciąż jeszcze nie było, mówiono, że przebywa daleko od rodzinnego miasta, w klasztorze, gdzie wdrażają ją do wszelkich królewskich cnót. Wreszcie przyjechała.

Syrenka bardzo pragnęła ją poznać. Musiała przyznać, że nigdy jeszcze nie widziała tak uroczej istoty. Płeć miała delikatną i piękną, a spod długich i ciemnych rzęs uśmiechały się ciemnoniebieskie, szczere oczy.

– To jesteś ty! – zawołał na jej widok książę. – To ty mnie uratowałaś, kiedy leżałem jak martwy na brzegu. – I chwycił zarumienioną dziewczynę w ramiona. – Jestem szczęśliwy! – zwrócił się do syrenki. – Spełniło się moje najgorętsze marzenie! Wiem, że cieszysz się z mego szczęścia, bo mnie kochasz.

A syrenka czuła się tak, jakby serce miało jej pęknąć. Poranek po jego

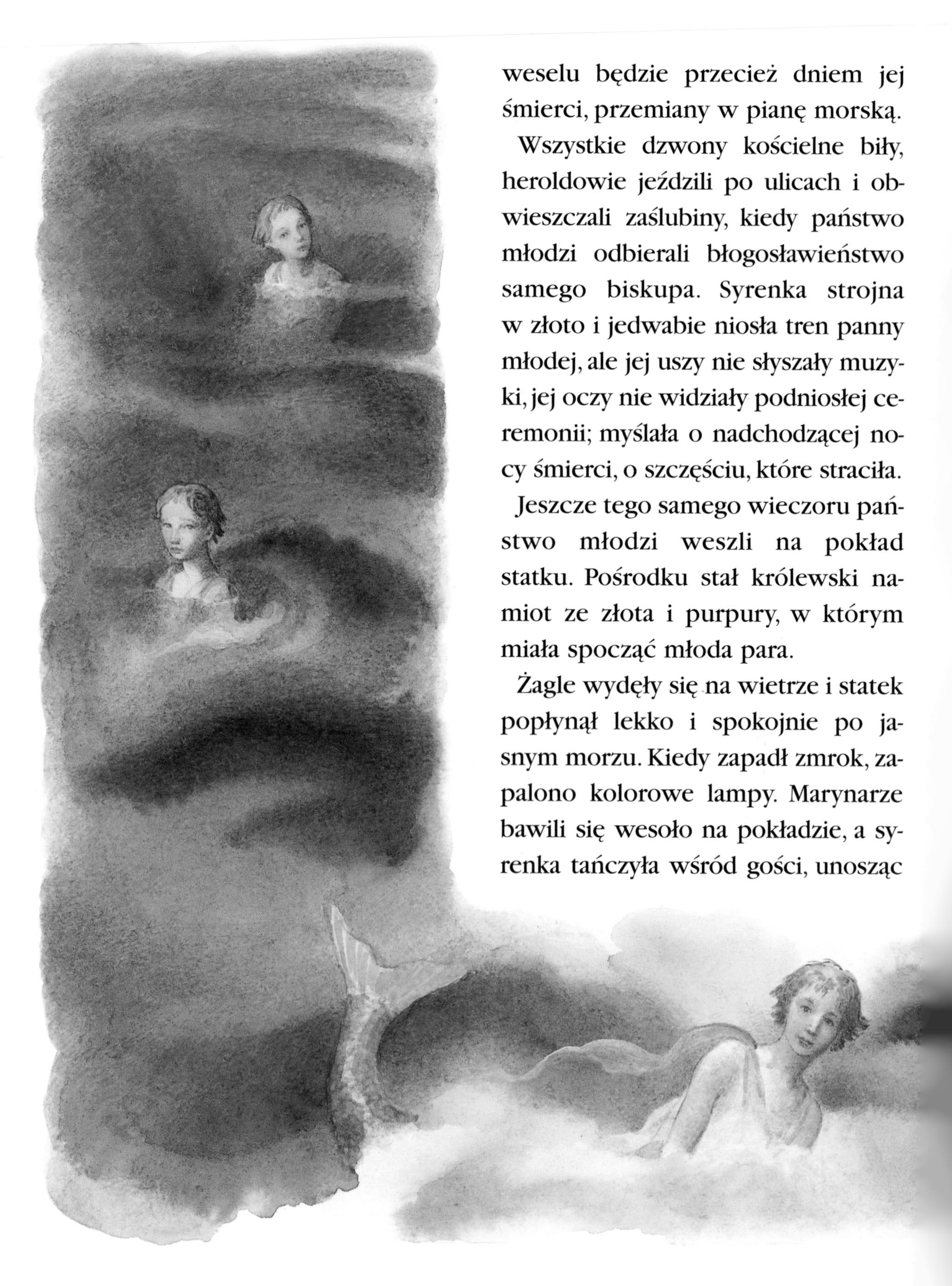

weselu będzie przecież dniem jej śmierci, przemiany w pianę morską.

Wszystkie dzwony kościelne biły, heroldowie jeździli po ulicach i obwieszczali zaślubiny, kiedy państwo młodzi odbierali błogosławieństwo samego biskupa. Syrenka strojna w złoto i jedwabie niosła tren panny młodej, ale jej uszy nie słyszały muzyki, jej oczy nie widziały podniosłej ceremonii; myślała o nadchodzącej nocy śmierci, o szczęściu, które straciła.

Jeszcze tego samego wieczoru państwo młodzi weszli na pokład statku. Pośrodku stał królewski namiot ze złota i purpury, w którym miała spocząć młoda para.

Żagle wydęły się na wietrze i statek popłynął lekko i spokojnie po jasnym morzu. Kiedy zapadł zmrok, zapalono kolorowe lampy. Marynarze bawili się wesoło na pokładzie, a syrenka tańczyła wśród gości, unosząc się lekko jak jaskółka. Nigdy jeszcze nie tańczyła tak pięknie, i chociaż przy każdym stąpnięciu przeszywał ją ostry ból, o wiele boleśniej odczuwała rany w sercu. Wiedziała, że to jej ostatni wieczór, ostatnie chwile, kiedy oddychać będzie tym samym, co on, powietrzem. A potem ogarnie ją wieczna noc, bez myśli i bez snów, bo nie miała nieśmiertelnej duszy i nigdy już jej nie zdobędzie. Na statku panowała radość i wesele aż do późnej nocy. Książę ucałował swą piękną żonę, po czym razem udali się na spoczynek do wspaniałego namiotu. Wokół zapanowała cisza. Syrenka oparła się o poręcz statku i spoglądała na wschód; wiedziała, że zabije ją pierwszy promień słońca. Nagle ujrzała siostry wyłaniające się z morza. Były blade jak ona, ich długie, piękne włosy nie powiewały już na wietrze, były obcięte.

– Oddałyśmy je czarownicy, aby uratowała tej nocy twoje życie. Dała nam ostry nóż, oto on! Zanim wzejdzie słońce, musisz przebić nim serce księcia, a kiedy gorąca krew opryska twoje nogi, odzyskasz rybi ogon, staniesz się znowu syreną. Będziesz mogła zejść do wody i żyć z nami trzysta lat, zanim nie zmienimy się w słoną morską pianę. Pospiesz się! Zabij księcia i wracaj do domu!

Syreny zanurzyły się w falach, a ich najmłodsza siostra poszła w stronę namiotu. Odsunęła purpurową zasłonę i ujrzała piękną pannę młodą i księcia pogrążonych we śnie. Schyliła się i pocałowała go w czoło, spojrzała w jaśniejące niebo i znowu zwróciła oczy na księcia, który przez sen wymówił imię swojej oblubienicy. Tylko ona żyła w jego myślach! Nóż zadrżał w ręku syreny, odrzuciła go daleko w morze. Wydawało się, że w tym miejscu, gdzie upadł, wytrysnęły z wody krople krwi. Raz jeszcze spojrzała żałosnym wzrokiem na księcia, a potem skoczyła ze statku do morza, czując, jak jej ciało zmienia się w pianę.

Słońce wzeszło nad morzem, jego promienie padały łagodnie na śmiertelnie zimną morską pianę. Syrenka nie czuła, że umiera. Ujrzała jasne słońce i unoszące się nad nią tysiące pięknych, przezroczystych istot. Głosy tych istot układały się w melodię tak delikatną, że ucho ludzkie nie mogło jej usłyszeć, jak również żadne ziemskie oko nie mogło ich widzieć. Bez skrzydeł, unosiły się własną lekkością w powietrzu. Syrenka zobaczyła, że ma ciało podobne do nich, i wznosi się coraz wyżej i wyżej, zostawiając pianę w wodzie.

– Dokąd ja lecę? – spytała, a jej głos zabrzmiał jak głos tamtych nieziemskich istot.

– Do cór powietrza! – odpowiedziały. – Syreny nie mają nieśmiertelnej duszy i nie mogą jej mieć, chyba że zdobędą miłość człowieka. Córy powietrza także nie mają duszy, ale przez dobre uczynki mogą na nią zasłużyć. Lecimy do ciepłych krajów, gdzie dżuma zabija ludzi, i niesiemy tam ożywczy chłód. Rozpylamy w powietrzu zapach kwiatów, koimy i leczymy. Jeśli przez trzysta lat będziemy w miarę naszych sił czynić dobro, osiągniemy nieśmiertelność i będziemy dzielić z ludźmi szczęście wieczne. Ty z całego serca dążyłaś do tego samego celu! Cierpiałaś tak jak my i wzniosłaś się do świata powietrznych duchów. Teraz możesz po trzystu latach zdobyć przez dobre uczynki nieśmiertelną duszę.

Syrenka wzniosła ku słońcu ręce i po raz pierwszy poczuła w oczach łzy.

Zobaczyła teraz księcia, jak szuka jej po pokładzie, spoglądając ze smutkiem na pieniącą się wodę, jak gdyby wiedział, że rzuciła się w morze. A ona niewidzialnie pocałowała oblubienicę w czoło, uśmiechnęła się do księcia i wraz z innymi dziećmi powietrza wzniosła się ku różowym obłokom szybującym po niebie.

Choinka

Daleko w lesie rosła śliczna choinka. Wybrała sobie piękne miejsce, słońce miało do niej dostęp, powietrza było dużo i wszędzie dookoła niej rosło wielu jej starszych towarzyszy: sosny i świerki; ale mała choinka chciała tylko rosnąć, nie myślała o gorącym słońcu ani o świeżym powietrzu, nie zwracała uwagi na wiejskie dzieci, które biegały, rozmawiając i zbierając poziomki czy maliny. Dzieci przychodziły z pełnym dzbankiem, stawiały go na trawie, a potem siadały obok choinki i mówiły:

– Jakie śliczne, maleńkie drzewko!

Choinka nie lubiła tego.

Następnego roku była już znacznie wyższa, a gdy znowu upłynął rok, urosła jeszcze bardziej. Po liczbie słojów, można było poznać, ile ma lat.

„Ach, rosnąć, rosnąć, być dużą, dorosłą, to jedyne szczęście na świecie!" - myślała choinka.

Na jesieni przychodzili zawsze drwale i ścinali niektóre z dużych drzew. Zdarzało się to co roku i młoda choinka, która była teraz zupełnie duża, drżała, bo wielkie, wspaniałe drzewa padały na ziemię z trzaskiem i hukiem. Odrąbywano gałęzie i drzewa leżały teraz nagie, wąskie i długie, tak że trudno je było poznać. Potem ładowano drzewa na wóz i konie wywoziły je z lasu.

Dokąd je wiozły? Co je czekało?

Na wiosnę, kiedy przylatywały jaskółki i bociany, choinka pytała:

- Czy wiecie, dokąd je zabrano? Czy nie spotkałyście ich?

Jaskółka nic nie wiedziała, ale bocian słuchał w zamyśleniu, kiwał głową i mówił:

– Tak, wydaje mi się, że wiem. Kiedy leciałem z Egiptu, spotkałem wiele nowych okrętów. Na okrętach były wspaniałe maszty, wydaje mi się, że to były one. Pachniały sosną. Pozdrawiałem je wielokrotnie, ale one stały tak dumnie, takie wyprostowane!

– Ach, gdybym to ja już była dość duża na to, aby jeździć po morzach! Jakie ono właściwie jest, to morze, i jak wygląda?

– To za trudne do wytłumaczenia! – powiedział bocian i odleciał.

– Ach, gdybym już była taka duża jak inne drzewa! – wzdychała mała choinka. – Mogłabym wtedy rozpostrzeć szeroko gałęzie i patrzeć w daleki świat. Ptaki wiłyby gniazda pośród moich gałęzi, a wiatrowi, gdyby zawiał, kłaniałabym się wytwornie głową, zupełnie tak samo jak inne drzewa!

Nie cieszyło jej słońce ani ptaki, ani różowe obłoki, które przepływały wysoko nad nią co rano i co wieczór.

Kiedy nadchodziła zima i wszystko wokoło przykryte było iskrzącym się, białym śniegiem, zdarzało się, że zając przeskakiwał przez choinkę. (O, jakież to było irytujące!) Ale przeszły dwie zimy i na trzecią zimę drzewko zrobiło się takie duże, że zając musiał je okrążać.

– Raduj się swoją młodością! – mówiły promienie słoneczne. – Ciesz się z tego, że jesteś młoda, że rośniesz!

Wiatr całował choinkę, rosa płakała nad nią łzami, ale drzewo nie rozumiało tego wcale.

Kiedy nadeszło Boże Narodzenie, ścięto dwa młode drzewka, może mniejsze, a może w tym samym wieku co choinka, ale ona nie miała ani chwili spokoju, tylko ciągle chciała w świat. Tym młodym drzewkom, a były najpiękniejsze, nie odrąbano gałęzi, położono je na wozie i konie wywiozły je z lasu.

– Dokąd je zabierają? – pytała choinka. – Nie są większe ode mnie, jedna była nawet wiele ode mnie mniejsza. Dlaczego zostawiono im wszystkie gałęzie? Dokąd je wiozą?

– Wiemy, wiemy! – ćwierkały wróble. – Zaglądałyśmy w mieście do okien! Wiemy, dokąd one jadą! Wiozą je do największych wspaniałości, jakie sobie można wyobrazić! Zaglądałyśmy do okien i widziałyśmy, że zasadzono je pośrodku ciepłego pokoju i ozdobiono najpiękniejszymi przedmiotami: złoconymi jabłkami, piernikami, zabawkami i tysiącem świeczek!

– A potem? – pytała choinka i drżała wszystkimi gałązkami. – A potem? Co się dzieje potem?

– Więcej nie widziałyśmy. Ale to było cudowne!

„Czy i ja jestem stworzona do pójścia tą promienną drogą? – myślała choinka. – To jeszcze lepiej niż pływać po morzu! Jakże cierpię z tęsknoty! Żeby już nadeszło Boże Narodzenie! Jestem już duża i rozrośnięta, tak jak te, które wywieziono zeszłego roku! Ach, gdybym już była na wozie! Gdybym już była w tym ciepłym pokoju wśród przepychu i wspaniałości. A potem? Tak, potem będzie coś

jeszcze piękniejszego, bo po co by mnie tak stroili? Potem musi się stać coś wspanialszego, większego - ale co? Ach, jakże cierpię, jakże tęsknię, nie wiem sama, co się ze mną dzieje!".

– Ciesz się nami! - mówiły powietrze i światło słoneczne. - Ciesz się, że jesteś młoda, świeża i stoisz na wolności.

Ale choinka nie cieszyła się wcale. Rosła i rosła, latem i zimą była zielona, ciemnozielona. Ludzie, którzy ją widzieli, mówili: „To piękne drzewo!".

A na Boże Narodzenie ścięto ją pierwszą. Siekiera przecięła ją głęboko, aż do szpiku. Choinka upadła z jękiem na ziemię. Czuła ból, omdlenie i nie mogła wcale myśleć o swoim szczęściu. Była zmartwiona,

że musi porzucić miejsce rodzinne, rozłączyć się z pniem, z którego wyrosła: wiedziała, że już nigdy nie zobaczy swych drogich, starych towarzyszy, małych krzaczków i kwiatów, które dookoła niej rosły, może nawet i ptaków. Odjazd wcale nie był przyjemny.

Choinka ocknęła się, kiedy wypakowano ją razem z innymi drzewami na podwórzu i kiedy usłyszała, jak jakiś człowiek powiedział:

– Ta jest wspaniała, tylko ta nam się przyda.

Potem przyszło dwóch służących w pięknej liberii i zaniosło choinkę do wielkiej, pięknej sali. Naokoło na ścianach wisiały portrety, a obok wielkich kaflowych pieców stały wielkie chińskie wazy z lwami na pokrywach. Stały tam bujane fotele, sofy kryte jedwabiem, wielkie stoły pokryte albumami i zabawki, które kosztowały sto razy

po sto talarów - tak przynajmniej mówiły dzieci. Wstawiono choinkę w skrzynię do śmieci, napełnioną piaskiem, którą dla niepoznaki pokryto dookoła zielonym suknem, i postawiono ją na dużym barwnym dywanie. Ach, jakże drzewko drżało! Co się teraz stanie? Przyszli lokaje i pokojówki i zaczęto przystrajać choinkę. Powiesili na jej gałązkach małe siateczki, wycięte z kolorowego papieru - każda napełniona była cukierkami. Złocone jabłka i orzechy zwieszały się jak przyrośnięte, a do gałęzi przymocowano przeszło sto czerwonych, niebieskich i białych świeczek. Lalki, które wyglądały jak żywi ludzie (choinka nie widziała takich nigdy przedtem), kołysały się wśród zieleni, a na szczycie drzewa umocowano wielką, złotą gwiazdę. To było wspaniałe, niewypowiedzianie wspaniałe!

– Dzisiaj wieczór - mówili wszyscy - dzisiaj wieczór zabłyśnie!

„Ach - myślała choinka - żeby to już był wieczór! Kiedyż zapalą się świeczki? A co potem będzie? Czy przyjdą drzewa z lasu, aby mnie oglądać? Czy wróble przylecą do okien? Czy wrosnę tu na zawsze i będę stała zimą i latem, wystrojona?".

Tak, czekała z upragnieniem, ale z niecierpliwości bolała ją bardzo kora, a bóle kory są tak przykre dla choinki jak bóle głowy dla nas.

Wreszcie zapalono świeczki. Jaki blask! Jak cudownie! Gałęzie choinki tak drżały, że od jednej ze świeczek zapaliła się zielona gałązka. Porządnie ją zabolało.

– Boże święty! – zawołały pokojówki i ugasiły prędko ogień.

Teraz choinka nie odważyła się już drżeć! O, jakie to było przykre! Bała się, że zgubi coś ze swoich ozdób, była zupełnie oszołomiona tym całym blaskiem – oto otworzyły się szeroko drzwi i do pokoju wtargnęła cała gromada dzieci tak gwałtownie, jak gdyby miały przewrócić drzewko. Dorośli wchodzili spokojniej. Dzieci stały oniemiałe, ale trwało to tylko chwilkę, potem zaczęły się znowu cieszyć, aż huczało, tańczyły dookoła drzewka i zrywały jeden podarek po drugim.

„Co one robią? – myślało drzewko. – Co się jeszcze teraz stanie?". Świeczki wypaliły się do końca, a gdy tylko któraś się wypaliła, gaszono ją natychmiast, a potem pozwolono dzieciom zrywać wszystko, co było na choince. Rzuciły się na nią, tak że aż trzeszczały wszystkie gałęzie. Gdyby jej czubek ze złotą gwiazdą nie był przywiązany do sufitu, przewróciłaby się na pewno.

Dzieci tańczyły ze swymi pięknymi zabawkami, nikt nie patrzył już na choinkę z wyjątkiem starej niani, która podeszła i zaglądała

pomiędzy gałązki, ale tylko po to, aby zobaczyć, czy nie zapomniano tam jeszcze jakiejś figi lub jabłka.

– Bajkę, bajkę! – wołały dzieci i ciągnęły małego, grubego człowieczka do choinki. Człowieczek usiadł akurat pod samą choinką.

– Będzie nam miło wśród zieleni – powiedział – choinka także posłucha bajki, ale opowiem wam tylko jedną historię. Czy chcecie posłuchać bajki o Ivede-Avede, czy o Klumpe-Dumpe, który spadł ze schodów, ale mimo to spotkały go zaszczyty i zdobył rękę księżniczki?

– Ivede-Avede! – krzyczały jedne dzieci. – Klumpe-Dumpe! – wołały inne. Było tyle hałasu i krzyku. Tylko choinka milczała i myślała sobie:

„Czyż dla mnie nie ma tu nic do roboty, zupełnie nic?". Ale przecież spełniła już swe zadanie.

Mały człowieczek opowiedział bajkę o Klumpe-Dumpe, który spadł ze schodów i w końcu zdobył rękę księżniczki. A dzieci klaskały w ręce i wołały: „Jeszcze! Jeszcze!". Chciały także usłyszeć drugą bajkę, ale usłyszały tylko tę jedną o Klumpe-Dumpe. Choinka stała cicha i zamyślona, ptaszki w lesie nigdy nie opowiadały jej nic podobnego o Klumpe-Dumpe, który spadł ze schodów, a jednak zdobył księżniczkę.

„Więc to tak, tak dzieje się na świecie - myślała choinka i wierzyła, że tak było naprawdę, opowiadał to przecież taki miły pan. - Tak, tak, któż to może wiedzieć. Może i ja spadnę ze schodów, a potem dostanę księcia za męża". I myślała z radością o tym, że na drugi dzień ubiorą ją w świeczki, zabawki, złoto i owoce.

„Jutro już nie będę drżała - myślała choinka. - Będę się cieszyła całym sercem z mego szczęścia. Jutro usłyszę znowu bajkę o Klumpe-Dumpe, może także tę drugą o Ivede-Avede".

I przez noc całą drzewko stało ciche i zamyślone. Rano przyszli służący i pokojówka.

„Zaraz zaczną mnie na nowo stroić” - myślało drzewko. Ale wyciągnięto je z pokoju na strych, gdzie nie zaglądał ani jeden promyk słońca. „Co to ma znaczyć? - myślała choinka. - Co mam tu robić? Co ja tu usłyszę?”. Oparła się o ścianę i rozmyślała... A miała dość czasu, bo upływały dni i noce, nikt do niej nie wchodził, a kiedy nareszcie ktoś przyszedł, to jedynie po to, aby wstawić do kąta parę wielkich skrzyń. Drzewko stało ukryte - pewnie wszyscy o nim zapomnieli.

„Teraz tam na dworze jest zima - myślała choinka. - Ziemia jest twarda i przykryta śniegiem, ludzie nie mogą mnie zasadzić i dlatego muszę tu czekać aż do wiosny w tym schronieniu. Jakże to świetnie obmyślone! Jacy ludzie są dobrzy! Gdyby tu tylko nie było tak ciemno i tak strasznie samotnie! Gdyby tu się zjawił przynajmniej jakiś mały zajączek. Jakże tam było przyjemnie w lesie, kiedy leżał śnieg i przebiegał zając; tak, nawet kiedy przeskakiwał przeze mnie, ale wówczas nie lubiłam tego. Tu na strychu jest tak strasznie samotnie”.

- Pip! pip! - pisnęła w tej chwili mała myszka i wyskoczyła z kąta, a za nią biegła druga.

Obwąchały drzewko i wsunęły się pomiędzy gałęzie.

- Jakże tu okropnie zimno - powiedziały obie małe myszki. - Gdyby nie to, byłoby tu całkiem dobrze, prawda, stara choino?

- Nie jestem wcale stara - powiedziała choinka. - Znam dużo, dużo drzew o wiele starszych ode mnie!

- Skąd się tu wzięłaś i co potrafisz? - pytały myszy. Były takie strasznie ciekawe. - Opowiedz nam o najpiękniejszym miejscu na świecie. Czy byłaś tam? Czy byłaś w spiżarni, gdzie leżą na półkach sery, gdzie spod sufitu zwisają szynki, gdzie się tańczy na świecach łojowych i gdzie się wchodzi chudym, a wychodzi tłustym?

- Nie znam tego miejsca - powiedziała choinka. - Ale znam las, gdzie świeci słońce i śpiewają ptaki! - I potem opowiedziała wszystko o swojej młodości, a małe myszki jeszcze nigdy niczego podobnego nie słyszały, więc słuchały uważnie i mówiły:

- Jakże ty dużo widziałaś. Jakże byłaś szczęśliwa!

- Ja? - śmiała się choinka i myślała o tym, co sama opowiedziała. -

Tak, były to w istocie szczęśliwe czasy. – A potem opowiedziała o wieczorze wigilijnym, kiedy ozdobiono ją piernikami i świeczkami.

– O – powiedziały małe myszki – jakże byłaś szczęśliwa, stara choino!

– Nie jestem wcale stara – powiedziała choinka. – Dopiero tej zimy przybyłam z lasu. Jestem w najlepszych latach. Przestałam tylko dalej rosnąć.

– Jak ślicznie opowiadasz! – powiedziały myszki i następnej nocy przyszły z czterema innymi myszami, które także chciały słuchać, co drzewo opowiada, a im więcej choinka opowiadała, tym wyraźniej przypominała sobie sama wszystko i rozmyślała: „Były to jednak wesołe czasy. Ale mogą jeszcze wrócić, mogą wrócić. Klumpe-Dumpe spadł ze schodów, a pomimo to ożenił się z księżniczką, więc może i ja dostanę księcia".

A potem pomyślała o małym, ślicznym dębie w lesie, który mógłby jej zastąpić pięknego księcia.

– Kto to jest Klumpe-Dumpe? – pytały małe myszki. Więc choinka opowiedziała im całą bajkę, pamiętała każde słowo, a małe myszki miały ochotę skakać z radości aż pod sam wierzchołek choinki. Następnej nocy przyszło o wiele więcej myszy, a w niedzielę nawet dwa szczury, ale te powiedziały, że bajka nie jest zajmująca, co bardzo zmartwiło małe myszki, bo bajka od razu przestała im się podobać.

– Czy pani umie tylko tę jedną bajkę? – pytały szczury.

– Tylko tę jedną – odpowiedziała choinka. – Usłyszałam ją tego najszczęśliwszego wieczoru, ale wtedy nie myślałam o tym, jaka jestem szczęśliwa!

– To bardzo nudne opowiadanie. Czy pani nie umie opowiedzieć jakiejś bajki o słoninie lub o łojowych świecach? Żadnej bajki spiżarnianej?

– Nie – powiedziało drzewko.

– Wobec tego dziękujemy – oświadczyły szczury i wróciły do swego towarzystwa.

Małe myszki odeszły w końcu także i choinka westchnęła:

– Było jednak bardzo przyjemnie, kiedy te wesołe małe myszki siedziały dookoła mnie i słuchały, co im opowiadam. I to minęło! Ale będę o tym myślała i będę się cieszyła myślą, że mnie stąd zabiorą.

Kiedyż to się stało? Tak, pewnego ranka przyszli jacyś ludzie i zaczęli porządkować strych. Odstawili skrzynie, wyciągnęli choinkę i rzucili ją co prawda dość ostro na ziemię, ale służący ściągnął ją natychmiast po schodach, tam gdzie był jasny dzień.

„Teraz znowu zaczyna się życie" - pomyślała choinka. Czuła świeże powietrze, pierwszy promień słońca, i oto była na podwórzu. Wszystko odbyło się tak szybko, choinka zapomniała zupełnie spojrzeć na siebie samą, było tyle do oglądania wokół niej.

Podwórze przylegało do ogrodu, gdzie wszystko kwitło: róże pięły się na niskich sztachetach i były takie świeże i pachnące. Kwitły lipy, a wokoło fruwały jaskółki i ćwierkały:

- Ćwir, ćwir, przyjechała nasza ukochana! - Ale nie miały na myśli choinki.

„Teraz będę żyła" - cieszyła się choinka i szeroko rozpostarła gałęzie.

Gałęzie były zeschłe i żółte, a ona sama leżała w kącie pomiędzy chwastami i pokrzywami. Na jej wierzchołku tkwiła gwiazda ze złotego papieru i błyszczała w jasnym blasku słońca.

Na podwórzu bawiło się kilkoro dzieci spośród tej wesołej gromadki, która na Boże Narodzenie tańczyła wokoło drzewka i tak się nim cieszyła. Jedno z najmniejszych podbiegło i zerwało złotą gwiazdę.

- Patrzcie, co tam zostało jeszcze na tej szkaradnej, starej choinie! - powiedział chłopiec i zaczął deptać gałęzie, aż trzeszczały pod jego butami.

A choinka spojrzała na piękne, pachnące kwiaty w ogrodzie, spojrzała na siebie samą i zatęskniła do ciemnego kąta na strychu. Myślała o swojej świeżej młodości w lesie, o wesołym wieczorze wigilijnym i o małych myszkach, które tak chętnie słuchały bajki o Klumpe-Dumpe.

- Skończyło się, skończyło! - powiedziała biedna choinka. - Dlaczego nie cieszyłam się wtedy, kiedy jeszcze było z czego? Skończyło się! Skończyło!

Przyszedł parobek i porąbał drzewko na małe kawałki – leżała ich już cała wiązka. Choinka paliła się jasnym płomieniem pod wielkim kotłem do warzenia piwa i wzdychała głęboko. Każde westchnienie brzmiało niby krótki wystrzał i zwabiło dzieci bawiące się na podwórzu. Usadowiły się przed ogniem, patrzyły w płomień i wołały:

– Piff! Paff!

Przy każdym trzasku, który był głębokim westchnieniem, choinka myślała o letnim dniu w lesie i zimowej nocy, kiedy błyszczały gwiazdy, myślała o wieczorze wigilijnym i o Klumpe-Dumpe, jedynej bajce, którą usłyszała i którą potrafiła opowiedzieć, a potem spaliła się do reszty.

Chłopcy bawili się na podwórzu, a najmniejszy z nich miał na piersi złotą gwiazdę, która zdobiła choinkę owego najszczęśliwszego wieczoru.

Teraz się to skończyło i drzewka już nie ma, cała bajka się skończyła, skończyła tak, jak się kończą wszystkie bajki na świecie.

Baśniopisarz Hans Christian Andersen

Urodził się w roku 1805 w Odense, na wyspie Fionii. Od dziecka żył we własnym świecie, pełnym marzeń i fantastycznych obrazów. Z innymi dziećmi bawił się niechętnie, wolał chodzić do przędzalni, w której pracowały stare, ubogie kobiety. Tam mógł porozmawiać, tam uważany był za osobliwie mądre dziecko, tam słuchał pierwszych baśni. Pisał: „Ze swymi myślami i marzeniami byłem często tak samotny, jakby rzeczywisty świat nie istniał".

W domu miał zabawkę zrobioną przez ojca, który był szewcem. Opowiadał: „Miałem obrazki, które można było zmieniać, jeśli pociągnęło się za przymocowany do nich drut. Miałem też małą lunetę i zabawne kukiełki. Ale największą radość sprawiało mi szycie ubranek dla moich lalek, przesiadywanie na podwórku przy jedynym rosnącym tam krzaku agrestu i pod fartuchem matki, rozpostartym między kijem od miotły a ścianą domu".

Poza domem, na łonie natury, przeżywał bardzo mocno rzeczywisty świat. Właśnie obserwacje przyrody z biegiem lat skłoniły go do napisania najpiękniejszych, najbardziej osobistych baśni.

„Każdy, kto przygląda się naturze oczami poety, będzie chłonął takie wrażenia i dozna takich objawień, że można je nazwać poezją przypadku".

I tak Andersen zaczął opowiadać: o swoich licznych podróżach, o przeżytych w drodze przygodach i o obrazach, które zapadły mu w pamięć. Kwitnące jabłonie, pachnący dziki bez i brzydkie kaczątka stały się tym, co nazywał *Baśnią mojego życia*.

Baśnie Andersena docierają zarówno do dzieci, jak i do dorosłych. Sam poeta pisał: „Dzieci bawi przede wszystkim to, co nazwałbym sztafażem, starsi interesują się natomiast głębszą myślą".

Na podstawie autobiografii Andersena
Das Märchen meines Lebens (*Baśń mojego życia*), tłum. I.K.